D0236169

inventeurs et inventions

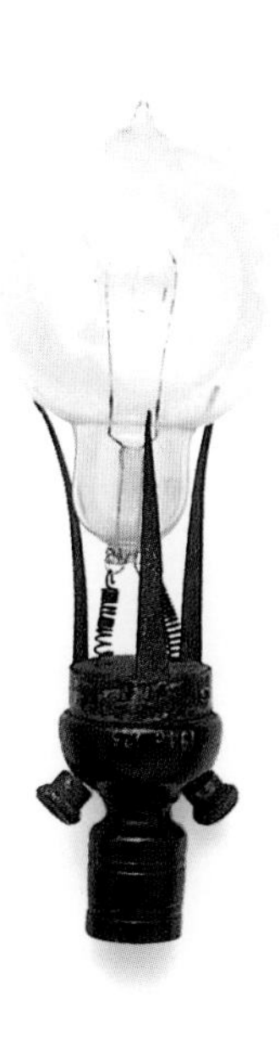

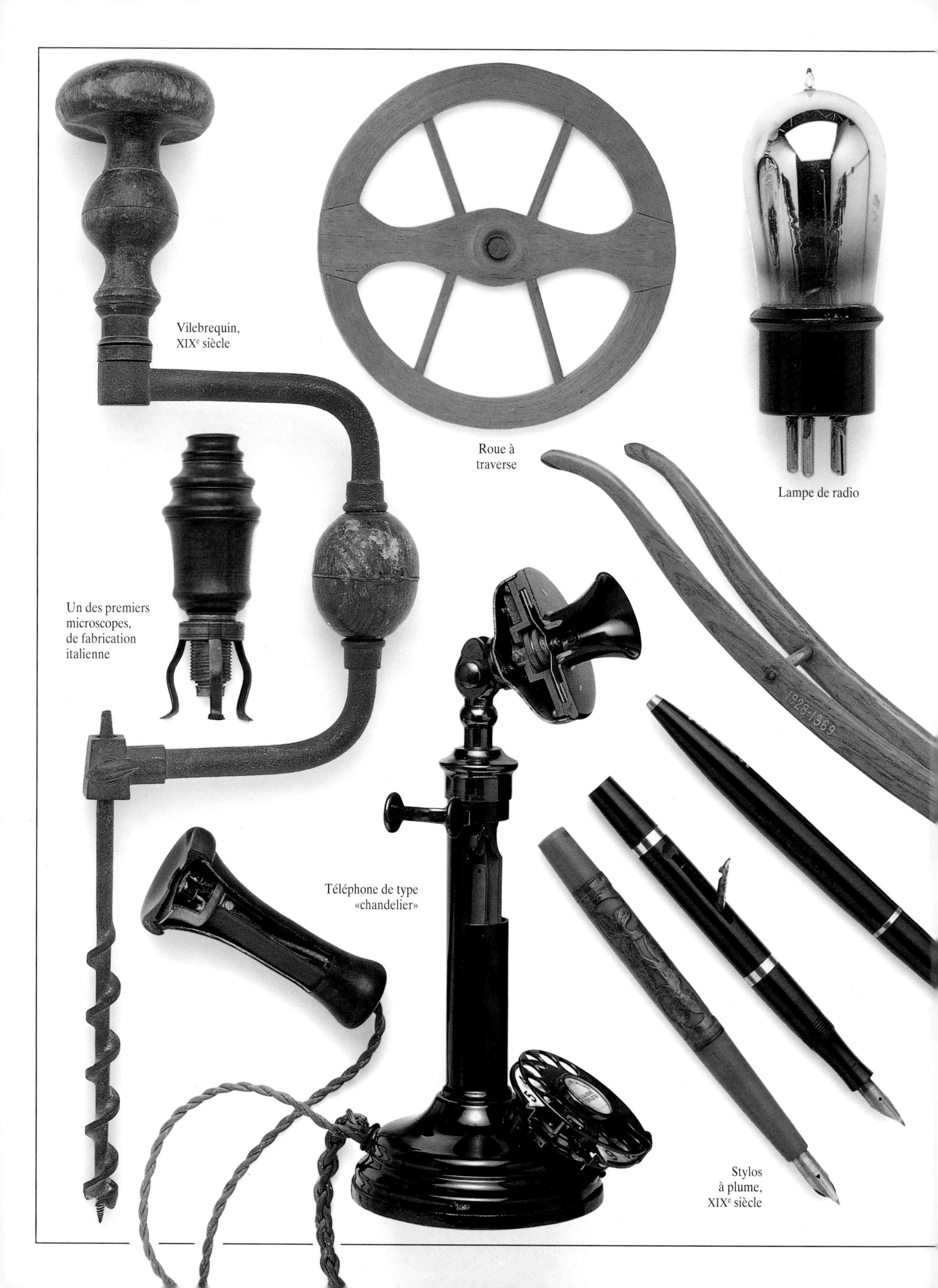

Vilebrequin, XIXe siècle

Roue à traverse

Lampe de radio

Un des premiers microscopes, de fabrication italienne

Téléphone de type «chandelier»

Stylos à plume, XIXe siècle

Lentilles de chambre noire pour daguerréotype

inventeurs et inventions

Anciens poids égyptiens

par

Lionel Bender

en association avec le Science Museum, Londres
Photographies originales de Dave King

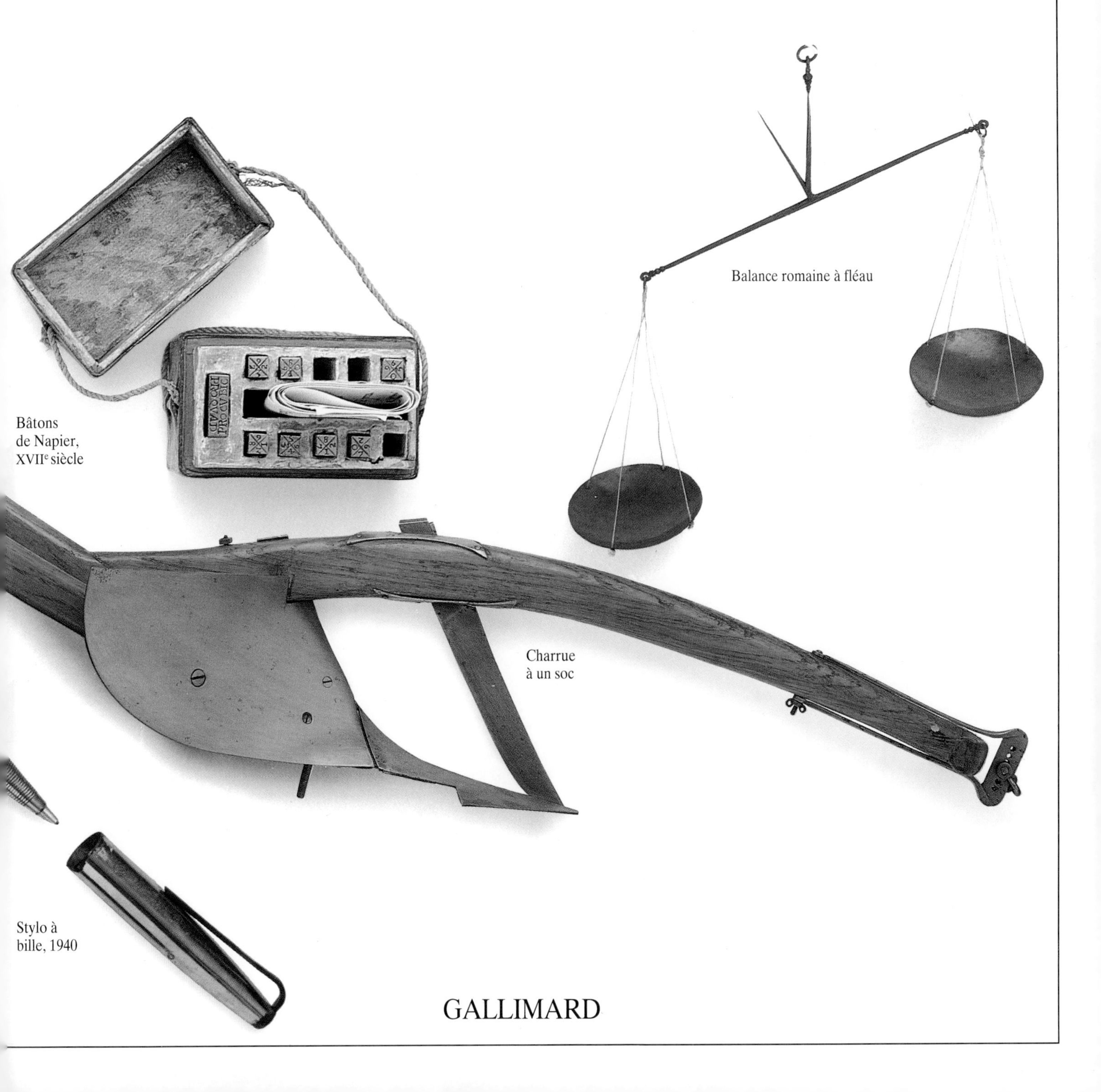
Balance romaine à fléau

Bâtons de Napier, XVIIᵉ siècle

Charrue à un soc

Stylo à bille, 1940

GALLIMARD

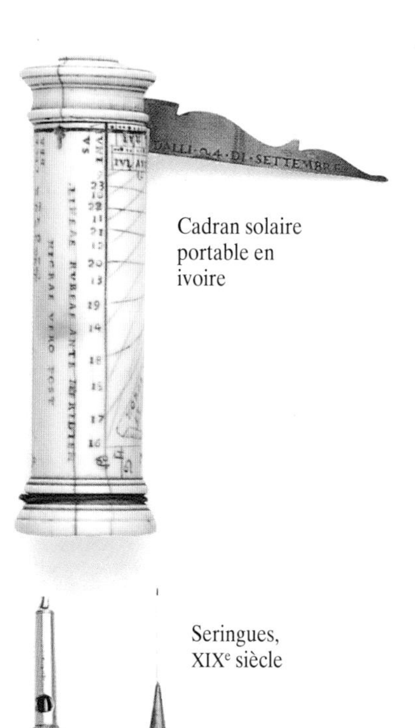

Cadran solaire portable en ivoire

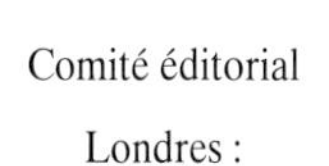

Calibre chinois à coulisse, 1er siècle

Comité éditorial

Londres :

Louise Barratt, Jacquie Gulliver, Julia Harris, Peter Lafferty, Kathy Lockley, Jane Owen, Helen Parker et Phil Wilkinson

Paris :

Christine Baker, Jacques Marziou et Elisabeth Robinson

Edition française préparée par Béatrice de Saint Hippolyte

Conseiller : Louis André, Musée national des Techniques, CNAM

Publié sous la direction de

Peter Kindersley, Jean-Olivier Héron et Pierre Marchand

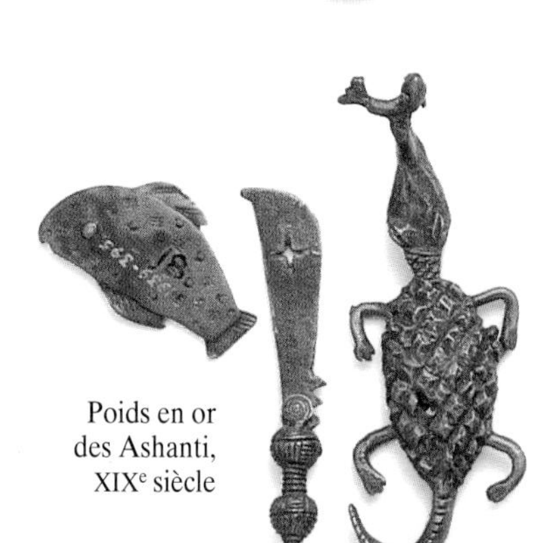

Poids en or des Ashanti, XIXe siècle

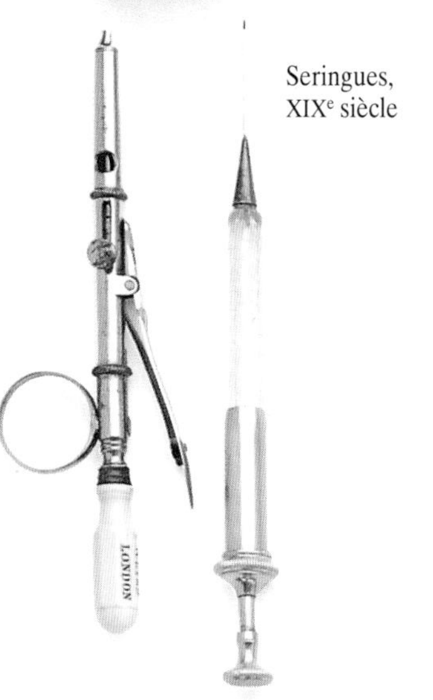

Seringues, XIXe siècle

Hache préhistorique à tête de pierre d'Australie

Un des premiers écouteurs téléphoniques

ISBN 2-07-056553-X
La conception de cette collection est le fruit d'une collaboration entre les Editions Gallimard et Dorling Kindersley.

1er dépôt légal : avril 1991
Dépôt légal : février 1993. N° d'édition : 58268
Imprimé à Singapour

Baguettes de calcul à encoches du Moyen Age

SOMMAIRE

Boussole anglaise du XVIIIe siècle

Compas de marine chinois

QU'EST-CE QU'UNE INVENTION ?

Une invention est une nouveauté qui nécessite, pour exister, l'intervention de l'homme, alors que la découverte révèle ce qui existait déjà. Les inventions procèdent le plus souvent de technologies déjà éprouvées mais combinées de façon totalement nouvelle, soit pour répondre à un besoin précis, soit pour améliorer ou accélérer tel ou tel procédé. Mais il arrive aussi qu'elles soient le fait du hasard. Une invention peut être l'œuvre d'un homme seul ou d'une équipe de chercheurs, et, parfois, des inventions à peu près identiques sont réalisées simultanément dans différentes régions du monde.

OUVRE-BOÎTE
Il fallait un marteau et un ciseau pour ouvrir les premières boîtes de conserve. Cet ouvre-boîte orné d'une tête de taureau a été réalisé par l'Anglais Yates, en 1855. Le manche fait levier sur une lame qui découpe le bord métallique.

LE VERRE
On ignore de quand date la fabrication du verre obtenu en chauffant ensemble du sable et de la soude. Mais dès 4000 av. J.-C. les Egyptiens faisaient des perles de verre. Au 1er siècle av. J.-C., les Syriens ont appris à souffler le verre fondu pour lui donner différentes formes.

ÇA COUPE !
Les ciseaux furent inventés il y a plus de 3 000 ans, dans plusieurs régions du monde. Les premiers ressemblaient à des tenailles et fonctionnaient avec un ressort. Ceux d'aujourd'hui sont conçus selon le principe du pivot et du levier.

LA BOÎTE DE CONSERVE
La technique qui consiste à chauffer la nourriture jusqu'à une température élevée, pour tuer les bactéries, et à la conserver dans un récipient hermétiquement fermé, a été mise au point en France, en 1810, par Nicolas Appert. Il utilisait des pots en verre et des bouchons. Deux Anglais, Donkin et Hall, ont inventé la boîte métallique et ont ouvert la première conserverie.

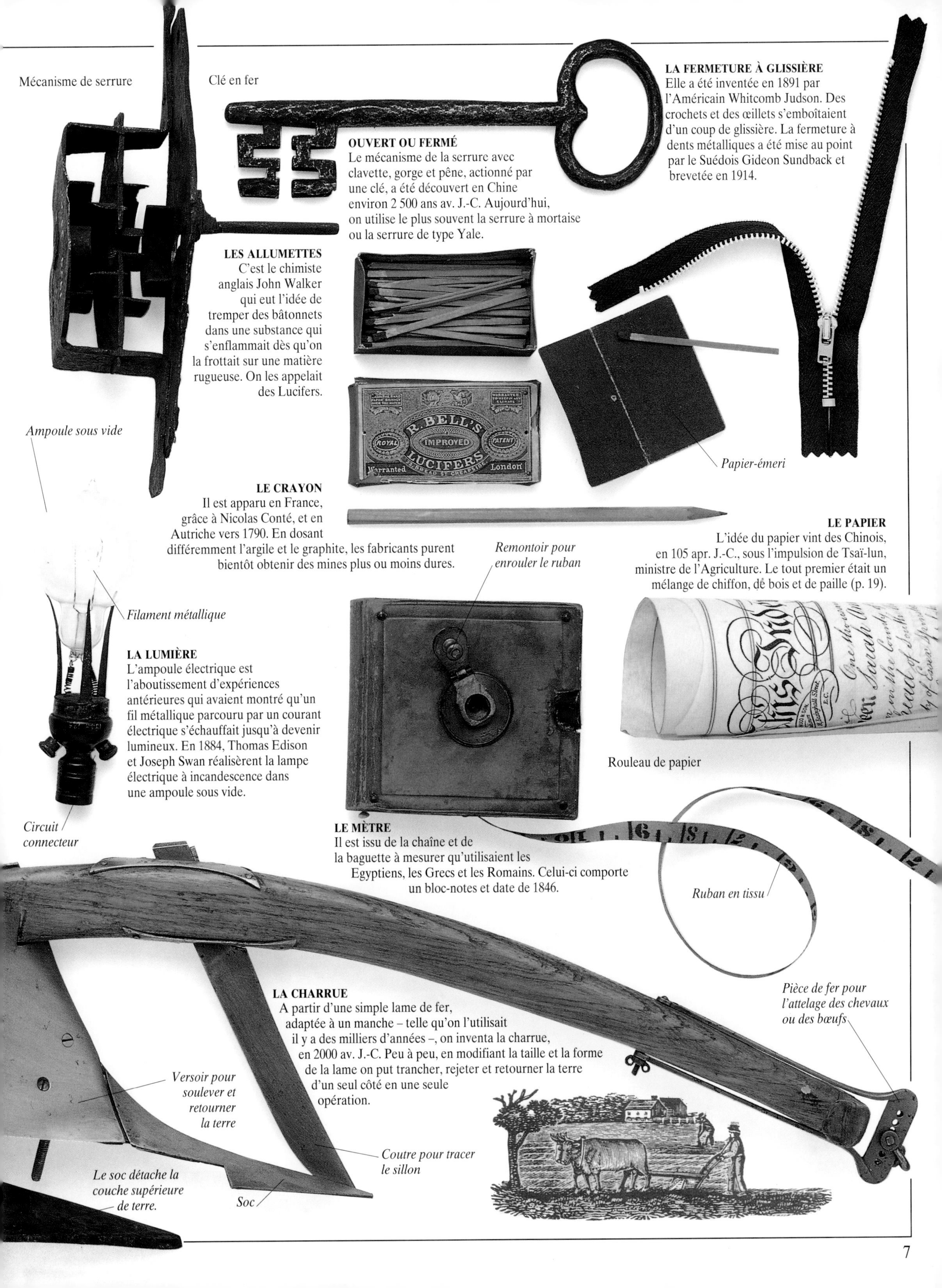

Mécanisme de serrure

Clé en fer

LA FERMETURE À GLISSIÈRE
Elle a été inventée en 1891 par l'Américain Whitcomb Judson. Des crochets et des œillets s'emboîtaient d'un coup de glissière. La fermeture à dents métalliques a été mise au point par le Suédois Gideon Sundback et brevetée en 1914.

OUVERT OU FERMÉ
Le mécanisme de la serrure avec clavette, gorge et pêne, actionné par une clé, a été découvert en Chine environ 2 500 ans av. J.-C. Aujourd'hui, on utilise le plus souvent la serrure à mortaise ou la serrure de type Yale.

LES ALLUMETTES
C'est le chimiste anglais John Walker qui eut l'idée de tremper des bâtonnets dans une substance qui s'enflammait dès qu'on la frottait sur une matière rugueuse. On les appelait des Lucifers.

Ampoule sous vide

Papier-émeri

LE CRAYON
Il est apparu en France, grâce à Nicolas Conté, et en Autriche vers 1790. En dosant différemment l'argile et le graphite, les fabricants purent bientôt obtenir des mines plus ou moins dures.

LE PAPIER
L'idée du papier vint des Chinois, en 105 apr. J.-C., sous l'impulsion de Tsaï-lun, ministre de l'Agriculture. Le tout premier était un mélange de chiffon, de bois et de paille (p. 19).

Remontoir pour enrouler le ruban

Filament métallique

LA LUMIÈRE
L'ampoule électrique est l'aboutissement d'expériences antérieures qui avaient montré qu'un fil métallique parcouru par un courant électrique s'échauffait jusqu'à devenir lumineux. En 1884, Thomas Edison et Joseph Swan réalisèrent la lampe électrique à incandescence dans une ampoule sous vide.

Rouleau de papier

Circuit connecteur

LE MÈTRE
Il est issu de la chaîne et de la baguette à mesurer qu'utilisaient les Egyptiens, les Grecs et les Romains. Celui-ci comporte un bloc-notes et date de 1846.

Ruban en tissu

LA CHARRUE
A partir d'une simple lame de fer, adaptée à un manche – telle qu'on l'utilisait il y a des milliers d'années –, on inventa la charrue, en 2000 av. J.-C. Peu à peu, en modifiant la taille et la forme de la lame on put trancher, rejeter et retourner la terre d'un seul côté en une seule opération.

Pièce de fer pour l'attelage des chevaux ou des bœufs

Versoir pour soulever et retourner la terre

Coutre pour tracer le sillon

Le soc détache la couche supérieure de terre.

Soc

COMMENT ÉVOLUE UNE INVENTION

Il est rare qu'une invention soit due à une seule personne et, le plus souvent, elle n'atteint sa forme définitive qu'au terme de plusieurs siècles, après avoir évolué et absorbé de nouvelles technologies. Si l'on remonte dans le temps pour comprendre l'histoire de la perceuse à mèche, on s'aperçoit qu'elle n'est que l'aboutissement de divers perfectionnements apportés au poinçon et au foret au cours des siècles. Les Égyptiens furent parmi les premiers à utiliser des outils pour faire des trous. Vers 230 av. J-C., le savant grec Archimède chercha à transmettre et accroître une force donnée en utilisant un système de leviers et d'engrenages. Le vilebrequin apparut au Moyen Âge mais la chignole à roue dentée est une acquisition beaucoup plus récente.

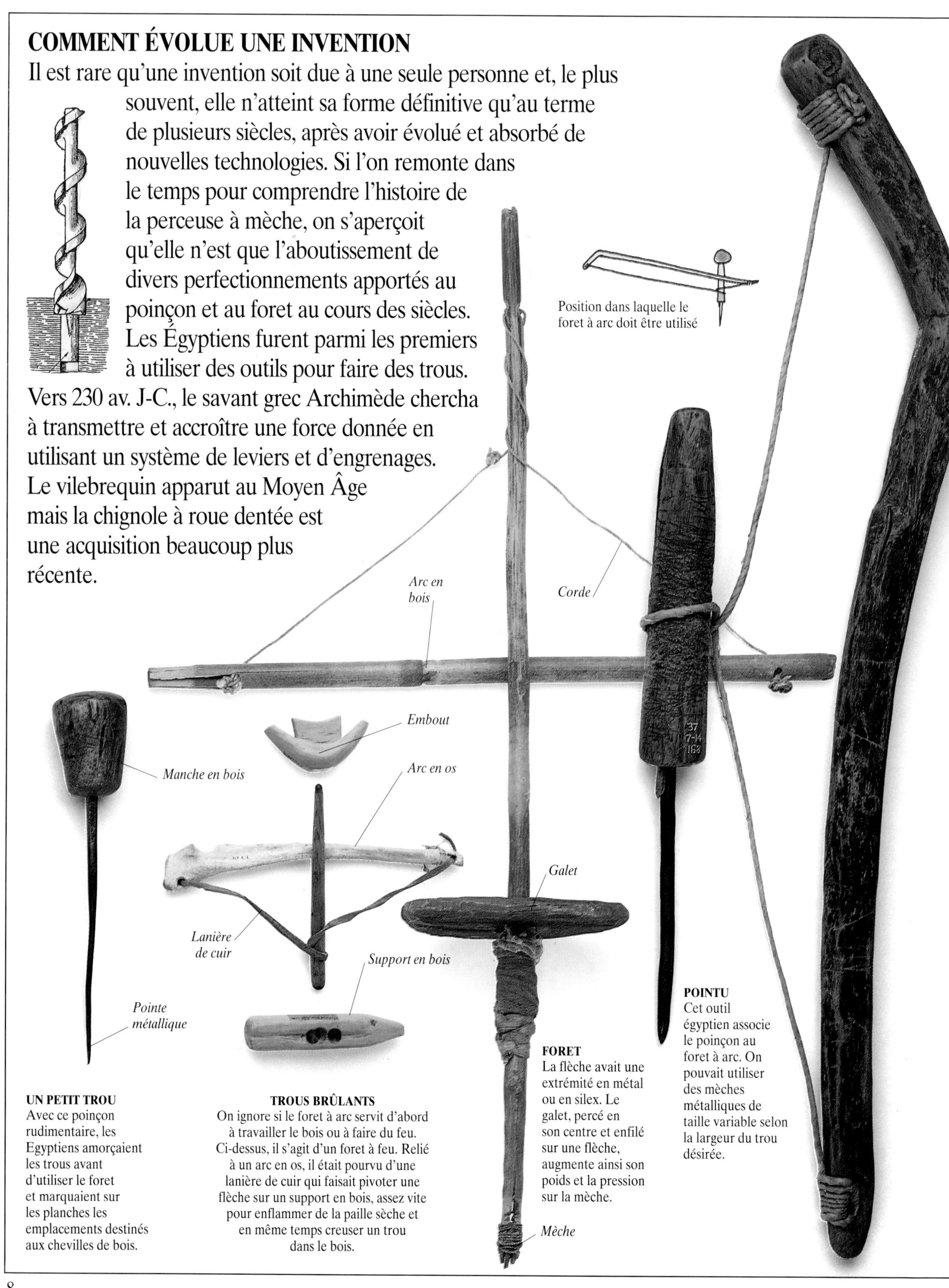

UN PETIT TROU
Avec ce poinçon rudimentaire, les Egyptiens amorçaient les trous avant d'utiliser le foret et marquaient sur les planches les emplacements destinés aux chevilles de bois.

TROUS BRÛLANTS
On ignore si le foret à arc servit d'abord à travailler le bois ou à faire du feu. Ci-dessus, il s'agit d'un foret à feu. Relié à un arc en os, il était pourvu d'une lanière de cuir qui faisait pivoter une flèche sur un support en bois, assez vite pour enflammer de la paille sèche et en même temps creuser un trou dans le bois.

FORET
La flèche avait une extrémité en métal ou en silex. Le galet, percé en son centre et enfilé sur une flèche, augmente ainsi son poids et la pression sur la mèche.

POINTU
Cet outil égyptien associe le poinçon au foret à arc. On pouvait utiliser des mèches métalliques de taille variable selon la largeur du trou désirée.

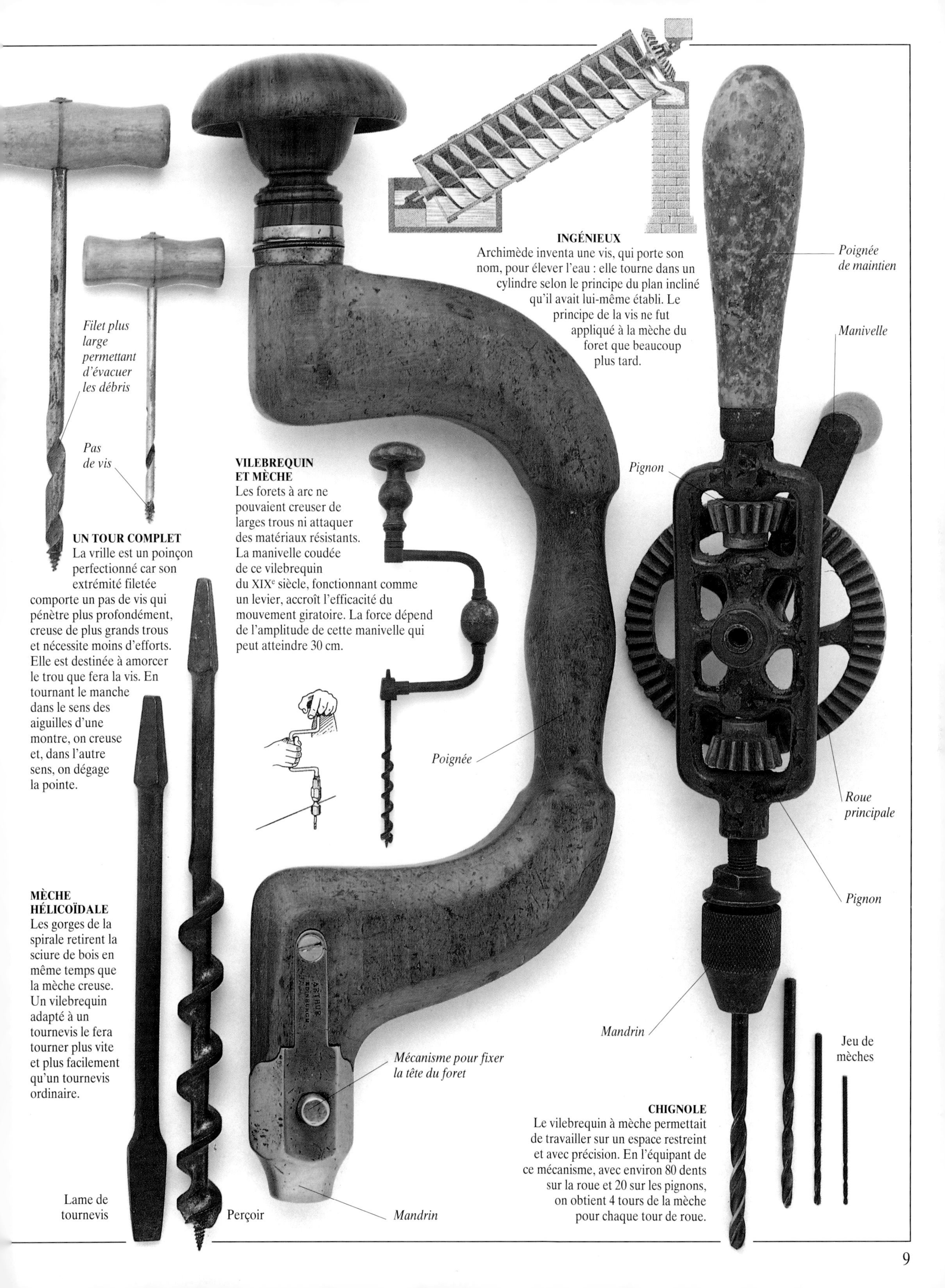

INGÉNIEUX
Archimède inventa une vis, qui porte son nom, pour élever l'eau : elle tourne dans un cylindre selon le principe du plan incliné qu'il avait lui-même établi. Le principe de la vis ne fut appliqué à la mèche du foret que beaucoup plus tard.

VILEBREQUIN ET MÈCHE
Les forets à arc ne pouvaient creuser de larges trous ni attaquer des matériaux résistants. La manivelle coudée de ce vilebrequin du XIXe siècle, fonctionnant comme un levier, accroît l'efficacité du mouvement giratoire. La force dépend de l'amplitude de cette manivelle qui peut atteindre 30 cm.

UN TOUR COMPLET
La vrille est un poinçon perfectionné car son extrémité filetée comporte un pas de vis qui pénètre plus profondément, creuse de plus grands trous et nécessite moins d'efforts. Elle est destinée à amorcer le trou que fera la vis. En tournant le manche dans le sens des aiguilles d'une montre, on creuse et, dans l'autre sens, on dégage la pointe.

MÈCHE HÉLICOÏDALE
Les gorges de la spirale retirent la sciure de bois en même temps que la mèche creuse. Un vilebrequin adapté à un tournevis le fera tourner plus vite et plus facilement qu'un tournevis ordinaire.

CHIGNOLE
Le vilebrequin à mèche permettait de travailler sur un espace restreint et avec précision. En l'équipant de ce mécanisme, avec environ 80 dents sur la roue et 20 sur les pignons, on obtient 4 tours de la mèche pour chaque tour de roue.

LES OUTILS NAISSENT DU SILEX ET DU FEU

Au terme d'une lente évolution, nos lointains ancêtres adoptèrent peu à peu la position debout : de leurs mains ainsi libérées, ils purent désormais déchiqueter les carcasses abandonnées et ramasser les plantes comestibles. Puis les hommes préhistoriques ont progressivement instauré l'usage de l'outil. D'abord, ils coupaient la viande et écrasaient les os, afin d'en extraire la mœlle, à l'aide de galets et de pierres qu'ils apprirent par la suite à aiguiser. Plus tard, il y a 400 000 ans, le silex taillé leur permit de fabriquer des haches et des pointes de flèches. Le feu fut découvert il y a 250 000 ans environ. Dès lors, capables de cuire leur nourriture, nos ancêtres inventèrent diverses armes pour chasser les animaux sauvages, puis des outils pour l'agriculture.

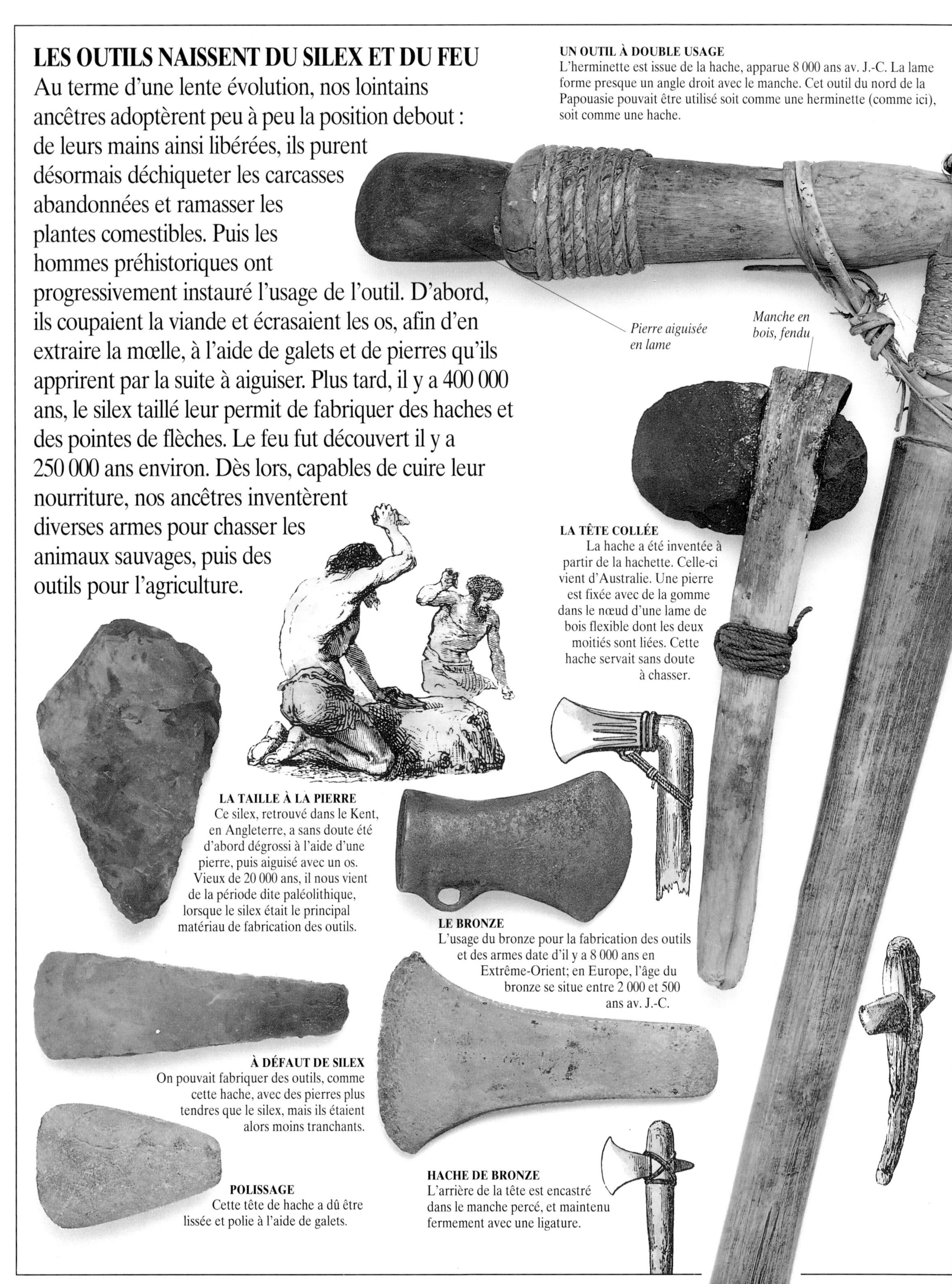

UN OUTIL À DOUBLE USAGE
L'herminette est issue de la hache, apparue 8 000 ans av. J.-C. La lame forme presque un angle droit avec le manche. Cet outil du nord de la Papouasie pouvait être utilisé soit comme une herminette (comme ici), soit comme une hache.

LA TÊTE COLLÉE
La hache a été inventée à partir de la hachette. Celle-ci vient d'Australie. Une pierre est fixée avec de la gomme dans le nœud d'une lame de bois flexible dont les deux moitiés sont liées. Cette hache servait sans doute à chasser.

LA TAILLE À LA PIERRE
Ce silex, retrouvé dans le Kent, en Angleterre, a sans doute été d'abord dégrossi à l'aide d'une pierre, puis aiguisé avec un os. Vieux de 20 000 ans, il nous vient de la période dite paléolithique, lorsque le silex était le principal matériau de fabrication des outils.

LE BRONZE
L'usage du bronze pour la fabrication des outils et des armes date d'il y a 8 000 ans en Extrême-Orient; en Europe, l'âge du bronze se situe entre 2 000 et 500 ans av. J.-C.

À DÉFAUT DE SILEX
On pouvait fabriquer des outils, comme cette hache, avec des pierres plus tendres que le silex, mais ils étaient alors moins tranchants.

POLISSAGE
Cette tête de hache a dû être lissée et polie à l'aide de galets.

HACHE DE BRONZE
L'arrière de la tête est encastré dans le manche percé, et maintenu fermement avec une ligature.

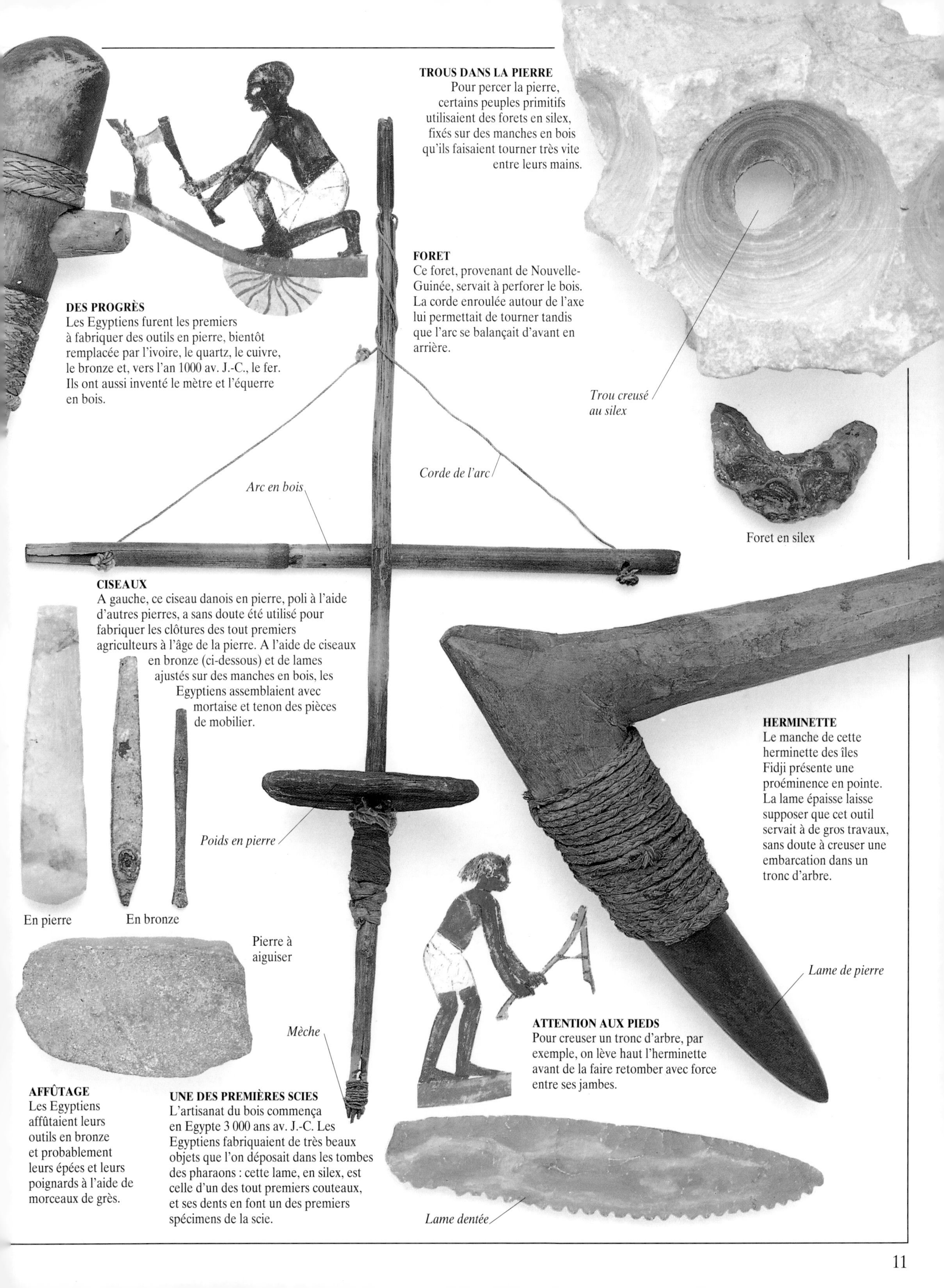

TROUS DANS LA PIERRE
Pour percer la pierre, certains peuples primitifs utilisaient des forets en silex, fixés sur des manches en bois qu'ils faisaient tourner très vite entre leurs mains.

DES PROGRÈS
Les Egyptiens furent les premiers à fabriquer des outils en pierre, bientôt remplacée par l'ivoire, le quartz, le cuivre, le bronze et, vers l'an 1000 av. J.-C., le fer. Ils ont aussi inventé le mètre et l'équerre en bois.

FORET
Ce foret, provenant de Nouvelle-Guinée, servait à perforer le bois. La corde enroulée autour de l'axe lui permettait de tourner tandis que l'arc se balançait d'avant en arrière.

CISEAUX
A gauche, ce ciseau danois en pierre, poli à l'aide d'autres pierres, a sans doute été utilisé pour fabriquer les clôtures des tout premiers agriculteurs à l'âge de la pierre. A l'aide de ciseaux en bronze (ci-dessous) et de lames ajustés sur des manches en bois, les Egyptiens assemblaient avec mortaise et tenon des pièces de mobilier.

HERMINETTE
Le manche de cette herminette des îles Fidji présente une proéminence en pointe. La lame épaisse laisse supposer que cet outil servait à de gros travaux, sans doute à creuser une embarcation dans un tronc d'arbre.

ATTENTION AUX PIEDS
Pour creuser un tronc d'arbre, par exemple, on lève haut l'herminette avant de la faire retomber avec force entre ses jambes.

AFFÛTAGE
Les Egyptiens affûtaient leurs outils en bronze et probablement leurs épées et leurs poignards à l'aide de morceaux de grès.

UNE DES PREMIÈRES SCIES
L'artisanat du bois commença en Egypte 3 000 ans av. J.-C. Les Egyptiens fabriquaient de très beaux objets que l'on déposait dans les tombes des pharaons : cette lame, en silex, est celle d'un des tout premiers couteaux, et ses dents en font un des premiers spécimens de la scie.

LA ROUE : QUELLE DÉLIVRANCE !

La roue est sans doute l'invention la plus importante de l'histoire de l'humanité. Toutes sortes de mécanismes, comme l'horloge ou le moulin, de machines ou de véhicules, comme la bicyclette ou l'automobile, comportent des roues. Les premières sont apparues il y a 5 000 ans en Mésopotamie où les potiers l'utilisaient pour travailler l'argile. À peu près à la même époque, on fixa des roues aux charrettes, ce qui facilita le transport des objets lourds ou volumineux. Ces premières roues étaient pleines et faites de planches de bois assemblées. Vers 2000 av. J.-C., on commença à utiliser la roue à rais, plus légère, et, enfin, quelque 100 ans av. J.-C., on inventa l'essieu, grâce auquel la roue tourne sans difficulté.

TOUR DE POTIER
300 ans av. J.-C., les Grecs et les Egyptiens utilisaient le tour. Le poids de la roue permettait de maintenir une vitesse constante.

Roue en trois parties

Bouclier pour le conducteur

Essieu rigide en bois

Cheville pour maintenir la roue en place

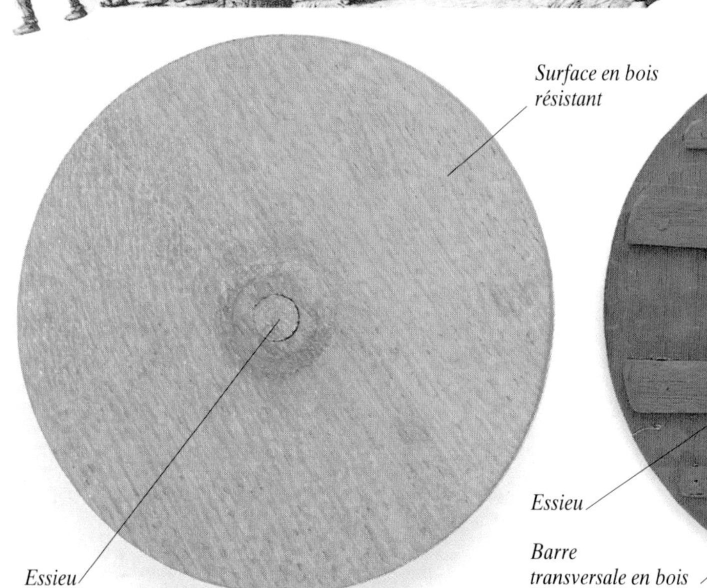

À L'ÂGE DE LA PIERRE
Avant l'invention de la roue, on transportait des poids énormes, tels que les blocs de pierre destinés à la construction, en les faisant glisser sur des troncs d'arbre, comme sur des rails. C'était très efficace, mais la mise en place exigeait des efforts considérables.

Surface en bois résistant

Essieu

TRANCHE DE BOIS
Dans les régions où le bois était abondant, on pouvait tailler des roues en coupant un tronc d'arbre en tranches. Ces roues pleines ont été retrouvées au Danemark.

Essieu

Barre transversale en bois

TROIS PLANCHES
La roue à assemblage était faite de planches maintenues ensemble par des pièces de bois ou de métal fixées en travers. On l'utilise encore dans certains pays car elle convient très bien aux voies non carrossables.

Essieu

EN PIERRE
Dans les régions pauvres en bois, comme en Chine et en Turquie, on fabriquait des roues en pierre. Elles étaient lourdes mais résistantes.

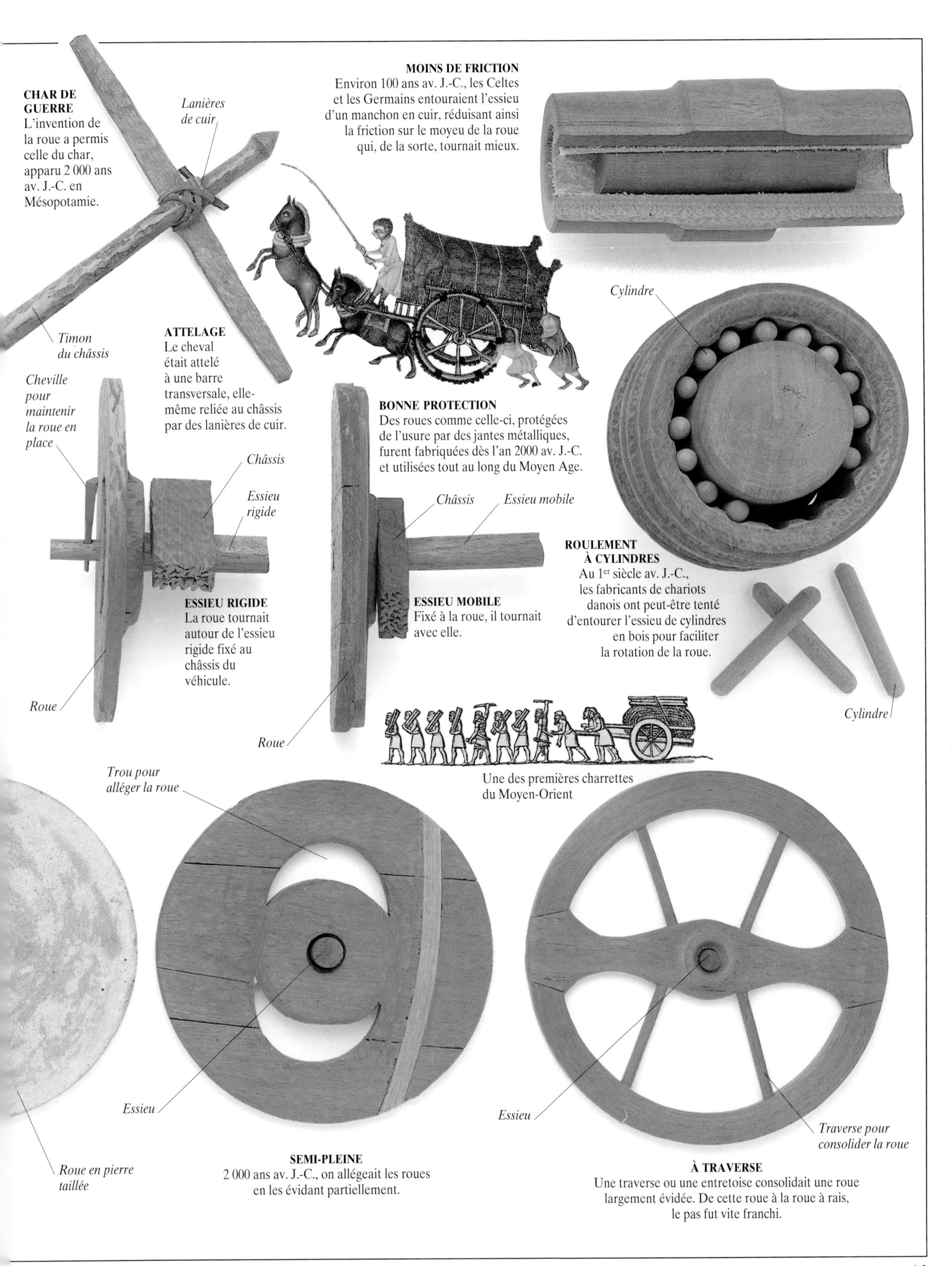

CHAR DE GUERRE
L'invention de la roue a permis celle du char, apparu 2 000 ans av. J.-C. en Mésopotamie.

MOINS DE FRICTION
Environ 100 ans av. J.-C., les Celtes et les Germains entouraient l'essieu d'un manchon en cuir, réduisant ainsi la friction sur le moyeu de la roue qui, de la sorte, tournait mieux.

ATTELAGE
Le cheval était attelé à une barre transversale, elle-même reliée au châssis par des lanières de cuir.

BONNE PROTECTION
Des roues comme celle-ci, protégées de l'usure par des jantes métalliques, furent fabriquées dès l'an 2000 av. J.-C. et utilisées tout au long du Moyen Age.

ESSIEU RIGIDE
La roue tournait autour de l'essieu rigide fixé au châssis du véhicule.

ESSIEU MOBILE
Fixé à la roue, il tournait avec elle.

ROULEMENT À CYLINDRES
Au 1er siècle av. J.-C., les fabricants de chariots danois ont peut-être tenté d'entourer l'essieu de cylindres en bois pour faciliter la rotation de la roue.

Une des premières charrettes du Moyen-Orient

SEMI-PLEINE
2 000 ans av. J.-C., on allégeait les roues en les évidant partiellement.

À TRAVERSE
Une traverse ou une entretoise consolidait une roue largement évidée. De cette roue à la roue à rais, le pas fut vite franchi.

FONDU, COULÉ, MARTELÉ, LE MÉTAL PREND FORME

L'or et l'argent se trouvent à l'état pur dans la nature et ces deux métaux furent dans les tout premiers temps utilisés comme simple parure. Le cuivre, qu'il fallait extraire de roches ou de minerais, est le premier métal que l'on ait travaillé, en le chauffant sur un feu très fort. Par la suite, des alliages de deux métaux différents furent réalisés. Le bronze, alliage de cuivre et d'étain, présentait l'avantage d'être dur et de résister à la rouille ; en le faisant fondre et en le coulant dans un moule, on fabriquait aussi bien des épées et des outils que des bijoux. L'usage du fer apparut vers 1500 av. J.-C. Chauffé au charbon de bois, le minerai ne produisait qu'une forme assez impure de métal. Facile à trouver, mais difficile à fondre, il était le plus souvent travaillé au marteau.

Clou romain en fer, vers l'an 88 de notre ère

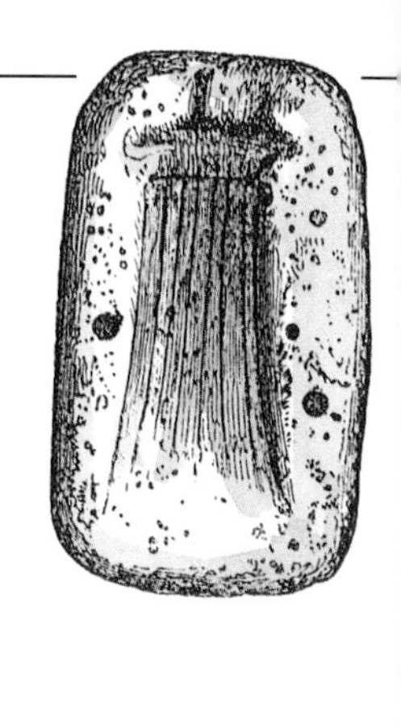

LA FONTE : DERNIÈRE ÉTAPE
Une fois refroidi, le moule était brisé et l'objet extrait. Plus résistant que le cuivre, le bronze pouvait être martelé. C'est pourquoi on en fit grand usage.

Minerai de fer

Loupe de fer

Loupe de fer partiellement martelée

LOUPE DE FER
Les premiers fourneaux ne chauffaient pas assez pour fondre le fer. Le résultat était une sorte de masse spongieuse, appelée loupe, que l'on portait au rouge avant de la marteler.

LA FONTE : PREMIÈRE ÉTAPE
Pour obtenir du bronze, on chauffait d'abord les minerais de cuivre et d'étain dans un grand récipient ou à même le feu. Le bronze est plus facile à fondre et à détacher que le cuivre seul.

LA FONTE : DEUXIÈME ÉTAPE
Le bronze fondu était versé dans un moule où il refroidissait et se solidifiait. Cette opération s'appelle la fonte. On la pratiqua en Europe environ 3 000 ans av. J.-C., et en Chine quelques siècles plus tard.

ÉPÉE EN FER
Au premier siècle de notre ère, on fabriquait des épées en tordant et en martelant ensemble de fines tiges de fer. Ce procédé s'appelait le corroyage.

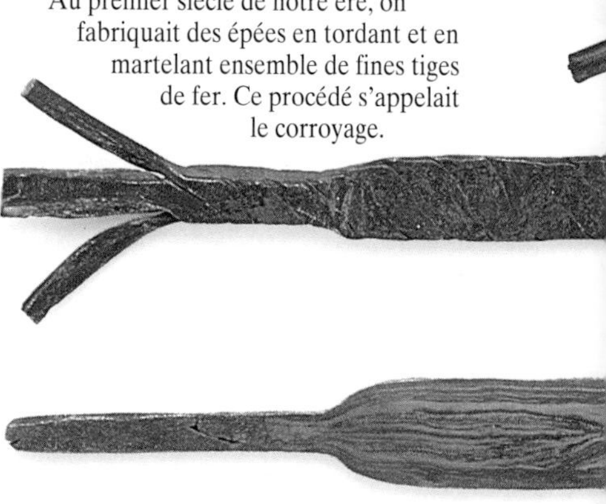

ÉPINGLES ET AIGUILLES
Avec le bronze, on pouvait aussi bien réaliser des objets petits et délicats, comme des épingles, que des cloches ou des statues.

CLOUS EN FER
Ceux-ci ont été trouvés sur des sites romains à Londres et en Ecosse.

FORGE OU FONTE ?
Le bloc de minerai de fer était chauffé dans un bas fourneau puis martelé. La fonte du fer n'a pu être réalisée qu'avec l'apparition du haut fourneau au XIVe siècle.

FER FORGÉ AFRICAIN
En 1930, des tribus africaines travaillaient encore le fer en le martelant. Ces objets, qui proviennent du Soudan, ont été fabriqués dans un fourneau en terre.

POINTE DE LANCE
On utilisait beaucoup le fer pour fabriquer les armes dont certaines pouvaient être très élaborées, comme cette lance au manche en bois.

BIJOUX EN BRONZE
Les bracelets étaient souvent gravés de dessins. Les femmes ornaient leur coiffure d'épingles finement décorées.

MARTEAU EN FER
Pendant des siècles, les marteaux ont été fabriqués en fer. Celui-ci vient du Soudan et date de 1930 environ.

DÉCORÉE ET EFFICACE
Pour rendre la lame obtenue par forgeage et corroyage plus efficace, on pouvait insérer sur les côtés deux tranchants en acier plus dur et effilé.

PETITES POIGNÉES
La poignée et la garde des épées en bronze étaient souvent décorées de dessins. Leur taille prouverait que nos ancêtres avaient des mains plus petites que les nôtres.

DES POIDS ET DES MESURES

Les premiers systèmes de poids et mesures furent introduits en Égypte ancienne et à Babylone pour peser les récoltes, mesurer les terres arables et régler les transactions commerciales. Vers 3000 av. J.-C., les Égyptiens inventèrent la balance à deux plateaux et mirent au point des poids standard et une mesure de longueur, la coudée, d'environ 51 centimètres. Le Code de Hammourabi, recueil des lois de Babylone vers 1792-1750 av. J.-C., fait référence à différentes unités de poids et de mesures. Les Grecs et les Romains utilisaient quotidiennement la balance à plateaux, dite balance romaine, et la règle. En usage de nos jours, le système anglais, pied et livre, date du XIVe siècle et le système métrique, mètre et gramme, de 1790.

Poids égyptiens en pierre

Poids égyptiens en métal

POIDS EN MÉTAL
Lorsque le travail du métal se développa, 2 000 ans environ av. J.-C., les Egyptiens remplacèrent leurs poids en pierre par des poids en bronze et en fer.

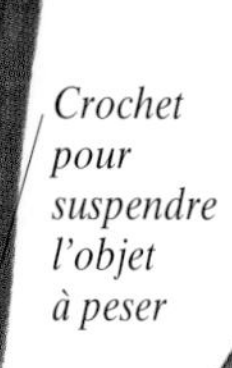

Crochet pour suspendre l'objet à peser

LA PESÉE DU CŒUR
Cette ancienne balance égyptienne était utilisée dans la cérémonie dite de la «pesée du cœur» qui se déroulait après le décès d'une personne.

POIDS EN OR
Les Ashanti, qui vivaient vers 1800 dans l'actuel Ghana, possédaient de nombreuses mines d'or. De ce métal précieux ils fabriquaient des poids décoratifs représentant des objets.

Poids en forme de poisson...

... en forme d'épée

... en forme de scorpion

Index

BALANCE ROMAINE À FLÉAU
Cette balance romaine destinée à peser des pièces de monnaie présentait une tige de bronze en son centre. Les objets à peser étaient placés sur l'un des plateaux suspendus à chaque extrémité du fléau, les poids sur l'autre. Au centre, un index indiquait le point d'équilibre.

Plateau

Coupelle pour poids plus petits

JEU DE POIDS
Avec une balance ordinaire, on ajoute ou on ôte de gros ou de petits poids jusqu'à ce que le fléau soit à l'horizontale. Ce jeu de poids, qui s'emboîtent les uns dans les autres, a été fabriqué en France au XVIIe siècle.

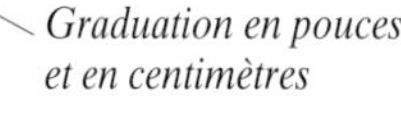

Graduation en pouces et en centimètres

BALANCE À CROCHET
Le poids se déplace le long d'un bras gradué et le poids de l'objet se lit d'après la distance qui sépare le pivot de la position du poids mobile. Avec ce type de balance, les marchands ambulants n'avaient pas à transporter le jeu encombrant de poids.

À CONTREPOIDS
Ce type de balance a été inventé par les Romains 200 ans av. J.-C. Contrairement à la balance ordinaire, elle a un bras plus long que l'autre. Un sac de grains, par exemple, était suspendu au bras le plus court et l'on déplaçait l'unique poids, accroché au plus long, jusqu'à obtenir l'équilibre. Celle-ci date du XVIIe siècle.

À CHACUN SON SYSTÈME
C'est le roi Edouard 1er d'Angleterre qui le premier a officialisé et standardisé le yard (0,914 m) en 1305. Un étalon de fer portait des graduations en pieds et en pouces. Ce yard du XIXe siècle, utilisé par un tailleur, est aussi gradué selon le système métrique.

TOUT SE MESURE
Ce calibre à coulisse ressemble à une clef à molette; inventé il y a environ 2 000 ans, il servait à mesurer des pierres, des métaux et des pièces de bois destinés à la construction. La graduation est gravée sur le bras extérieur de cette réplique de calibre chinois.

DU PLUS PETIT AU PLUS GRAND
Cet instrument anglais servait à mesurer la pointure des pieds. Il commence à 4,33 pouces (10,9 cm) et présente à peu près la graduation du centimètre.

RÈGLE OU RUBAN
La règle peut être trop rigide pour certains usages. Le tailleur, lui, préfère le ruban. Il en existe de toutes tailles.

À RAS BORD
Pour mesurer les liquides, on utilisait des récipients comme ce pot en cuivre qui appartenait à un distillateur. La quantité indiquée sur le bec verseur pouvait être lue facilement.

VÉRIFICATION
Il est essentiel que les poids et les mesures soient standardisés et que toutes les unités soient partout identiques. Ces fonctionnaires du Moyen Age procèdent à la vérification de poids et mesures de capacité

PAS DE DÉTAIL
Cette mesure à grain indienne permettait d'évaluer une quantité standard de grains d'après son volume et non d'après son poids. La tâche du marchand en était amplement facilitée.

STYLE ET STYLO, ARGILE ET PAPIER

Avec le développement de l'agriculture, le document écrit devint indispensable pour enregistrer les droits de propriété et d'irrigation, les récoltes, les impôts et les comptes. Les Babyloniens et les Égyptiens commencèrent par tracer des dessins et des symboles sur des pierres, des os et des tablettes d'argile, à l'aide d'éclats de silex puis de bâtonnets. Environ 1 300 ans av. J.-C., les Chinois et les Égyptiens fabriquèrent de l'encre en mélangeant du noir de fumée avec de l'eau et de la gomme végétale. Ils obtenaient différentes teintes en y ajoutant des colorants minéraux, comme l'ocre rouge. Les encres à huile apparurent au Moyen Âge avec l'imprimerie (pp. 26-27), mais l'encre pour la plume et le crayon à mine de plomb sont des inventions plus récentes. Aujourd'hui, grâce au stylo à réservoir ou à cartouche et au stylo à bille, on n'a plus à tremper sa plume à chaque instant dans un encrier.

LÉGER COMME UNE PLUME
Le tuyau de plume d'oiseau était déjà utilisé 500 ans av. J.-C. On préférait les plumes d'oie, de cygne ou de dinde, suffisamment épaisses pour retenir un peu d'encre et faciles à tenir dans la main. L'extrémité était taillée au couteau et légèrement fendue pour que l'encre puisse s'écouler.

UN LIVRE LOURD
Les plus anciens écrits sont sur tablettes d'argile et proviennent de Mésopotamie. Avec un style taillé en pointe, le scribe écrivait sur l'argile encore humide. Sur un tel support, le texte ne pouvait s'altérer. Ces caractères sont appelés cunéiformes, c'est-à-dire en forme de clous.

POINTE DE ROSEAU
Durant le 1er millénaire av. J.-C., les Egyptiens écrivaient sur du papyrus, à l'aide de roseaux et de joncs taillés en pointe et trempés dans du noir de fumée.

Caractères chinois

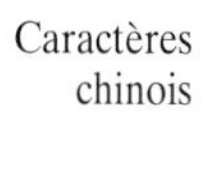

Papyrus égyptien

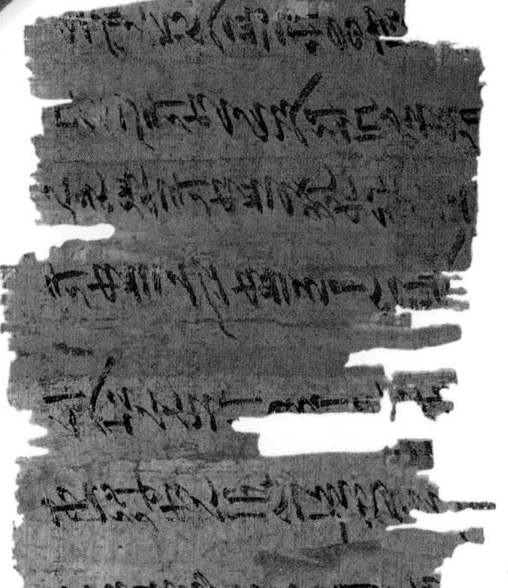

LE PAPYRUS
Dans l'Egypte ancienne et en Assyrie, les scribes écrivaient sur du papyrus. On le fabriquait en découpant la tige de cette plante en tronçons minces, eux-mêmes disposés en couches superposées que l'on mouillait et martelait pour obtenir des feuilles. Le scribe (à gauche) transcrit le récit d'une bataille.

UN COUP DE GÉNIE
Les Chinois utilisaient des pinceaux en poils de chameau ou de rat, collés et fixés à l'extrémité d'une baguette. Pour les travaux délicats sur soie, ils fabriquaient des pinceaux très fins en collant quelques poils au bout d'une tige de roseau. Les 10 090 caractères chinois s'obtiennent à partir de huit coups de pinceaux de base.

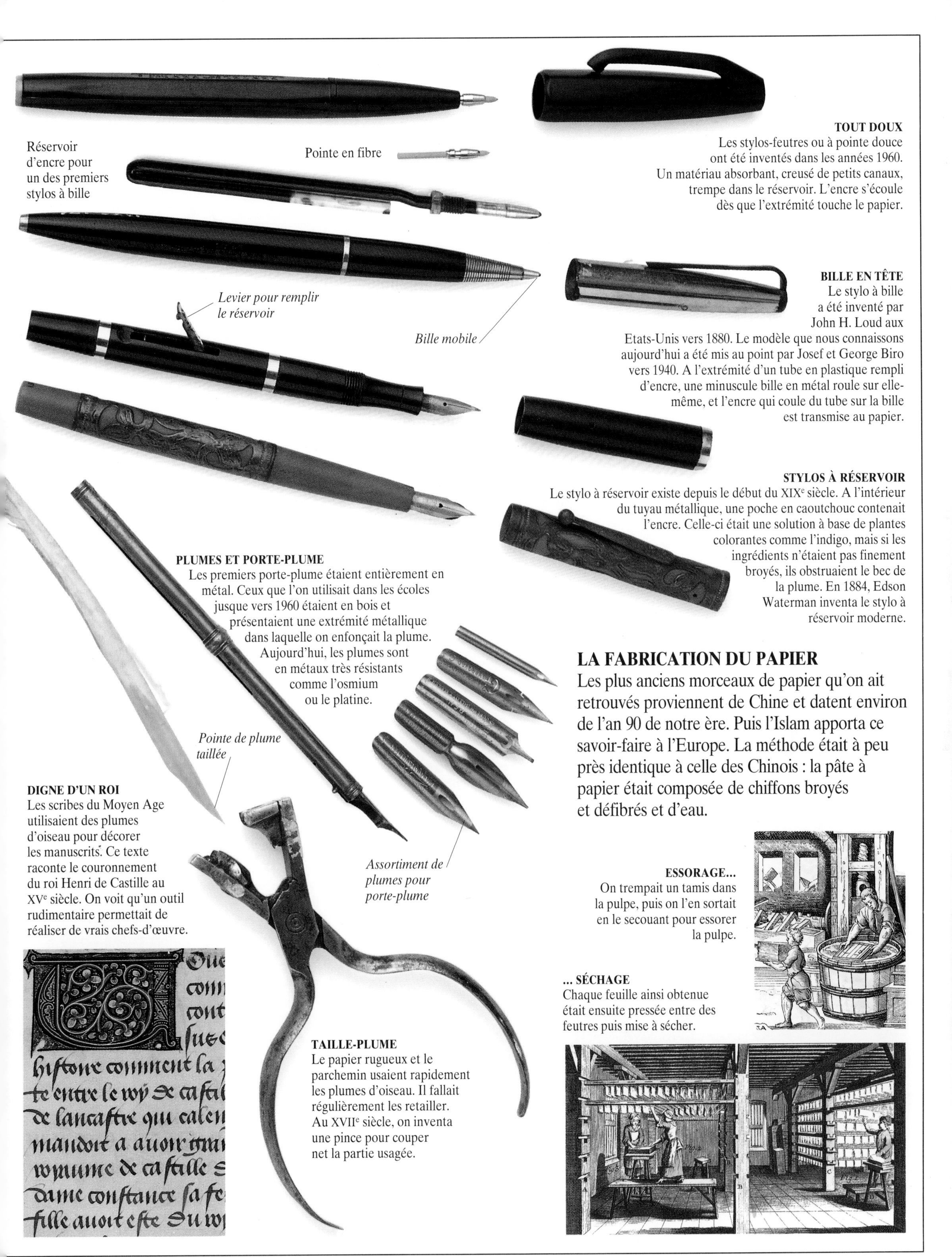

Réservoir d'encre pour un des premiers stylos à bille

Pointe en fibre

TOUT DOUX
Les stylos-feutres ou à pointe douce ont été inventés dans les années 1960. Un matériau absorbant, creusé de petits canaux, trempe dans le réservoir. L'encre s'écoule dès que l'extrémité touche le papier.

Levier pour remplir le réservoir

Bille mobile

BILLE EN TÊTE
Le stylo à bille a été inventé par John H. Loud aux Etats-Unis vers 1880. Le modèle que nous connaissons aujourd'hui a été mis au point par Josef et George Biro vers 1940. A l'extrémité d'un tube en plastique rempli d'encre, une minuscule bille en métal roule sur elle-même, et l'encre qui coule du tube sur la bille est transmise au papier.

STYLOS À RÉSERVOIR
Le stylo à réservoir existe depuis le début du XIXe siècle. A l'intérieur du tuyau métallique, une poche en caoutchouc contenait l'encre. Celle-ci était une solution à base de plantes colorantes comme l'indigo, mais si les ingrédients n'étaient pas finement broyés, ils obstruaient le bec de la plume. En 1884, Edson Waterman inventa le stylo à réservoir moderne.

PLUMES ET PORTE-PLUME
Les premiers porte-plume étaient entièrement en métal. Ceux que l'on utilisait dans les écoles jusque vers 1960 étaient en bois et présentaient une extrémité métallique dans laquelle on enfonçait la plume. Aujourd'hui, les plumes sont en métaux très résistants comme l'osmium ou le platine.

Pointe de plume taillée

Assortiment de plumes pour porte-plume

DIGNE D'UN ROI
Les scribes du Moyen Age utilisaient des plumes d'oiseau pour décorer les manuscrits. Ce texte raconte le couronnement du roi Henri de Castille au XVe siècle. On voit qu'un outil rudimentaire permettait de réaliser de vrais chefs-d'œuvre.

TAILLE-PLUME
Le papier rugueux et le parchemin usaient rapidement les plumes d'oiseau. Il fallait régulièrement les retailler. Au XVIIe siècle, on inventa une pince pour couper net la partie usagée.

LA FABRICATION DU PAPIER

Les plus anciens morceaux de papier qu'on ait retrouvés proviennent de Chine et datent environ de l'an 90 de notre ère. Puis l'Islam apporta ce savoir-faire à l'Europe. La méthode était à peu près identique à celle des Chinois : la pâte à papier était composée de chiffons broyés et défibrés et d'eau.

ESSORAGE...
On trempait un tamis dans la pulpe, puis on l'en sortait en le secouant pour essorer la pulpe.

... SÉCHAGE
Chaque feuille ainsi obtenue était ensuite pressée entre des feutres puis mise à sécher.

ET LA LUMIÈRE VINT

La première lumière artificielle fut d'abord celle du feu, mais il était dangereux et difficile de la transporter. Puis, il y a quelque 20 000 ans, les hommes constatèrent qu'en brûlant l'huile produisait de la lumière, et c'est ainsi qu'apparurent les premières lampes, constituées de pierres creusées que l'on emplissait de graisse animale. La lampe à mèche en fibre végétale n'apparut que 1 000 ans av. J.-C. Les chandelles et les bougies, inventées il y a environ 2 000 ans, ne sont en fait que des lampes à huile plus pratiques : lorsque la mèche est allumée, le suif, ou la cire, qui les entoure brûle et fond en donnant de la lumière. Les lampes à huile et les bougies restèrent les principales sources de lumière jusqu'à ce que se répande l'usage de la lampe à gaz au XIXe siècle. La lumière électrique ne fit son apparition qu'après 1880.

PREMIER SPOT
Les premiers hommes constatèrent que le feu sur lequel ils cuisaient leurs aliments produisait de la lumière. Ils apprirent vite à fabriquer des torches qu'ils pouvaient emporter avec eux ou suspendre à une paroi de la grotte où ils vivaient.

COQUILLAGE
Cette lampe en forme de coquillage, à droite, date du XIXe siècle mais le procédé était connu depuis très longtemps : on allumait l'extrémité émergée d'une mèche qui trempait dans l'huile.

Mèche

Orifice pour la mèche

LAMPE À HUILE
Les lampes d'argile, en forme de saucière, ont été en usage pendant des milliers d'années. On les remplissait d'huile d'olive ou de colza. Celle-ci a été fabriquée en Egypte il y a 2 000 ans.

LAMPE À COUVERCLE
Les Romains fabriquaient des lampes en argile avec un couvercle pour garder l'huile propre. Elles avaient parfois plusieurs orifices et plusieurs mèches afin d'augmenter la lumière.

Trou pour la mèche

Mèche

PIERRE LUMINEUSE
La forme primitive de la lampe est une pierre creusée. Celle-ci, qui provient des îles Shetland, était encore utilisée au siècle dernier. On en a retrouvé de semblables en France, dans les grottes de Lascaux, datant d'il y a 15 000 ans.

CHANDELLE DE LUXE
Les premières chandelles apparurent il y a 2 000 ans. On versait du suif sur une mèche suspendue puis on laissait le tout refroidir. Mais ces chandelles étaient trop chères pour la plupart des gens.

MOULES À BOUGIE
On coulait déjà les bougies dans des moules au XVe siècle, mais le procédé ne se généralisa qu'au XIXe siècle, avec la mécanisation.

INFLAMMABLE COMME L'AMADOU
Avant l'invention des allumettes, on utilisait des boîtes à amadou. En frottant un morceau de silex (la pierre à feu) sur une pièce métallique (le briquet), on produisait une étincelle qui enflammait une mèche de matériau sec (l'amadou).

INODORE
Des éteignoirs coniques permettaient d'éteindre les chandelles en toute sécurité et sans odeur de brûlé.

COUPER LA MÈCHE
Lorsque des lampes à huile plus élaborées apparurent, on inventa des instruments pour couper les mèches. Cette mouchette coupe l'extrémité de la mèche brûlée qui provoque de la fumée.

UNITÉ DE LUMINOSITÉ
Une bougie ne donne qu'une faible lumière : sa puissance lumineuse servait d'unité de lumière.

LANTERNE
La lanterne protégeait la flamme du vent et diminuait les risques d'incendie.

DOUCEUR ET LUMIÈRE
Certaines bougies étaient fabriquées avec des rayons de cire d'abeille que l'on roulait en cylindre.

DANS LA RUE
Monté sur un escabeau, ce lanternier allume la première lanterne publique de Paris en 1667.

BOUGEOIR À SPIRALE
Ce bougeoir est pourvu d'un mécanisme en spirale qui permettait de rehausser la bougie, au fur et à mesure qu'elle se consumait, pour maintenir la flamme au même niveau.

MESURER LE TEMPS QUI PASSE

Dès qu'il commença à cultiver la terre, l'homme eut besoin de se repérer dans le temps. Ce sont les astronomes égyptiens qui, il y a environ 3 000 ans, commencèrent à marquer les durées de façon plus précise en observant la progression régulière du Soleil dans le ciel. Ils mirent au point le cadran solaire qui permettait de mesurer le temps en fonction du déplacement de l'ombre solaire. D'autres méthodes anciennes consistaient à observer le temps de combustion d'une chandelle ou celui de l'écoulement de l'eau à travers un orifice. Dans les premières horloges mécaniques, les oscillations régulières d'une barre métallique, le foliot, réglaient le mouvement d'une aiguille autour d'un cadran. Ensuite vint le pendule, dont le mouvement est transmis aux aiguilles par l'échappement et par un mécanisme à rouages.

LIVRE D'HEURES
Les livres d'heures de l'époque médiévale, avec leurs tableaux mensuels de la vie paysanne, montrent l'importance des saisons pour ceux qui travaillent la terre. Cette illustration du mois de mars est tirée des *Très Riches Heures du duc de Berry*.

FIL À PLOMB
Ce cadran égyptien servait à observer le mouvement des étoiles, ce qui permettait de calculer les heures de la nuit. Celui-ci appartenait, 600 ans av. J.-C., à un prêtre-astronome nommé Bès.

Trou pour fixer l'aiguille

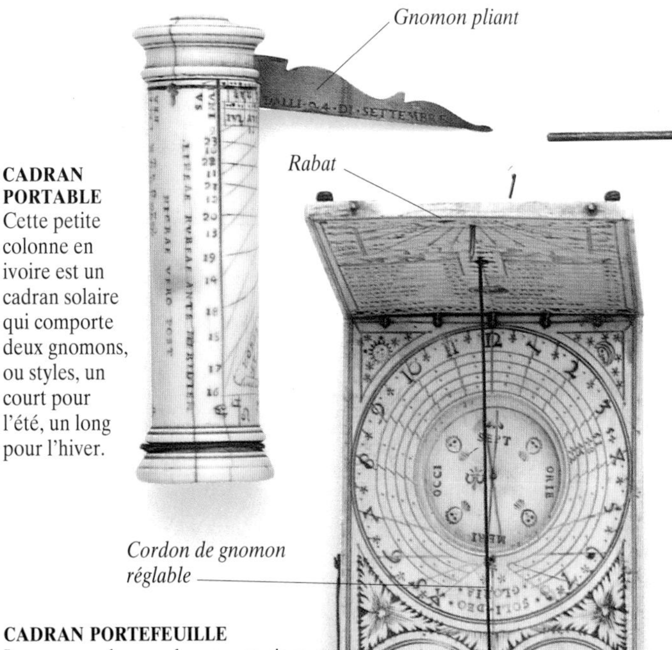

CADRAN PORTABLE
Cette petite colonne en ivoire est un cadran solaire qui comporte deux gnomons, ou styles, un court pour l'été, un long pour l'hiver.

CADRAN PORTEFEUILLE
Le gnomon de ce cadran germanique est un cordon réglable selon la latitude. On peut y lire la durée du jour et la position du Soleil dans le zodiaque. Les deux petits cadrans indiquent les heures italiennes et babyloniennes.

BÂTON HORAIRE
Cet instrument tibétain indique l'heure d'après la longueur de l'ombre portée d'une aiguille que l'on place en différentes positions selon les saisons.

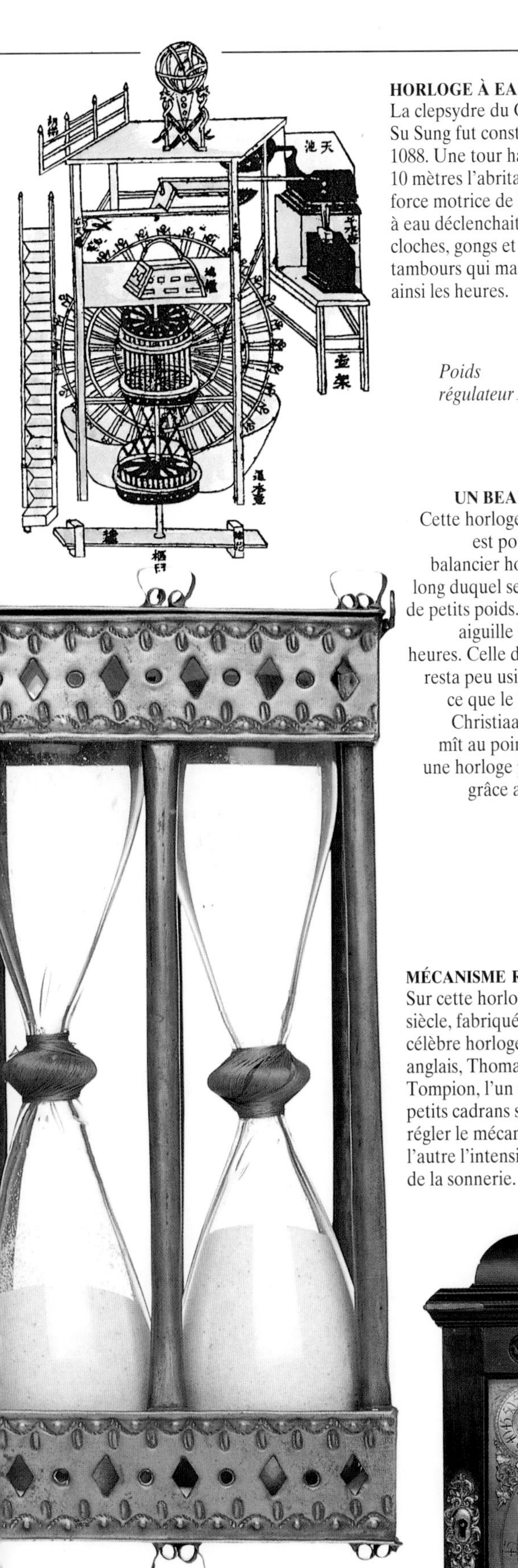

HORLOGE À EAU
La clepsydre du Chinois Su Sung fut construite en 1088. Une tour haute de 10 mètres l'abritait. La force motrice de la roue à eau déclenchait cloches, gongs et tambours qui marquaient ainsi les heures.

Poids régulateur

UN BEAU TIMBRE
Cette horloge japonaise est pourvue d'un balancier horizontal le long duquel se déplacent de petits poids. Une seule aiguille indique les heures. Celle des minutes resta peu usitée jusqu'à ce que le Hollandais Christiaan Huygens mît au point, en 1657, une horloge plus exacte grâce au pendule.

CHRISTIAAN HUYGENS
On doit à ce savant hollandais du milieu du XVIIe siècle la première application du pendule aux horloges.

PRESQUE UNE MONTRE
Jusqu'au XVe siècle, les horloges ne fonctionnaient qu'avec des poids, ce qui les rendait intransportables. L'emploi du ressort spiral pour faire avancer les aiguilles permit de fabriquer des pendulettes et des montres mais elles étaient encore peu fiables. Ce spécimen date du XVIIe siècle.

MÉCANISME RÉGLABLE
Sur cette horloge du XVIIe siècle, fabriquée par le célèbre horloger anglais, Thomas Tompion, l'un des petits cadrans sert à régler le mécanisme, l'autre l'intensité de la sonnerie.

L'HEURE EXACTE
En 1675, Christiaan Huygens inventa le ressort spiral d'échappement qui permet la régularisation du mouvement du balancier circulaire relié aux rouages, donnant ainsi une grande exactitude. C'est Thomas Tompion, le fabricant de cette montre, qui en introduisit l'usage en Angleterre.

SABLIERS
Ils furent sans doute en usage dès le XIVe siècle, mais celui-ci est plus récent. Le principe en est que le sable met toujours le même temps pour s'écouler, par un orifice étroit, de la fiole supérieure dans la fiole inférieure.

ET L'EAU ET LE VENT FURENT APPRIVOISÉS

Accroître les sources d'énergie existantes, en trouver de nouvelles, telles sont les préoccupations ancestrales des hommes. Ils augmentèrent d'abord leur force musculaire à l'aide de machines comme les grues ou les manèges. Puis, constatant que les chevaux, les mules et les bœufs étaient plus puissants qu'eux, ils leur firent tirer de gros fardeaux et tourner des manèges. Bientôt, le vent et l'eau constituèrent de nouvelles sources d'énergie : on vit alors apparaître en Égypte les premiers voiliers, il y a 5 000 ans. Au 1er siècle av. J.-C., les meuniers romains utilisaient des moulins à eau. L'énergie hydraulique fut largement exploitée et l'est encore de nos jours. Quant aux moulins à vent, ils apparurent au Moyen Âge, en Europe, lorsque le développement de l'agriculture exigea un dispositif efficace pour moudre le grain.

L'ÉNERGIE MUSCULAIRE
Dans les régions arctiques, les traîneaux sont tirés par des chiens. Mais partout ailleurs dans le monde on utilisait le cheval que l'on attelait même à des machines comme les meules ou les pompes.

MOULIN À VENT
Les premiers étaient à cabine pivotante : pour faire face au vent, ils tournaient autour d'un axe central. Fabriqués en bois léger, ils étaient fragiles et ne résistaient pas à la violence des bourrasques.

OH HISSE !
Cette grue du XVe siècle soulève des barriques de vin grâce à une roue d'écureuil actionnée avec les pieds. Quelques instruments tout aussi simples, comme la poulie et le levier, ont permis le développement de l'artisanat et la naissance de l'industrie. Vers 250 av. J.-C., le Grec Archimède aurait mis au point un système de poulies qui permettait de haler un grand navire, mais on ignore comment.

Queue du moulin

MOULIN À EAU
Peu avant notre ère, les Romains mirent au point deux types de moulin à eau pour moudre le blé : dans l'un, l'eau s'écoulait sous les palettes de la roue; dans l'autre, par-dessus. Le poids de l'eau augmentait l'efficacité de ce dernier.

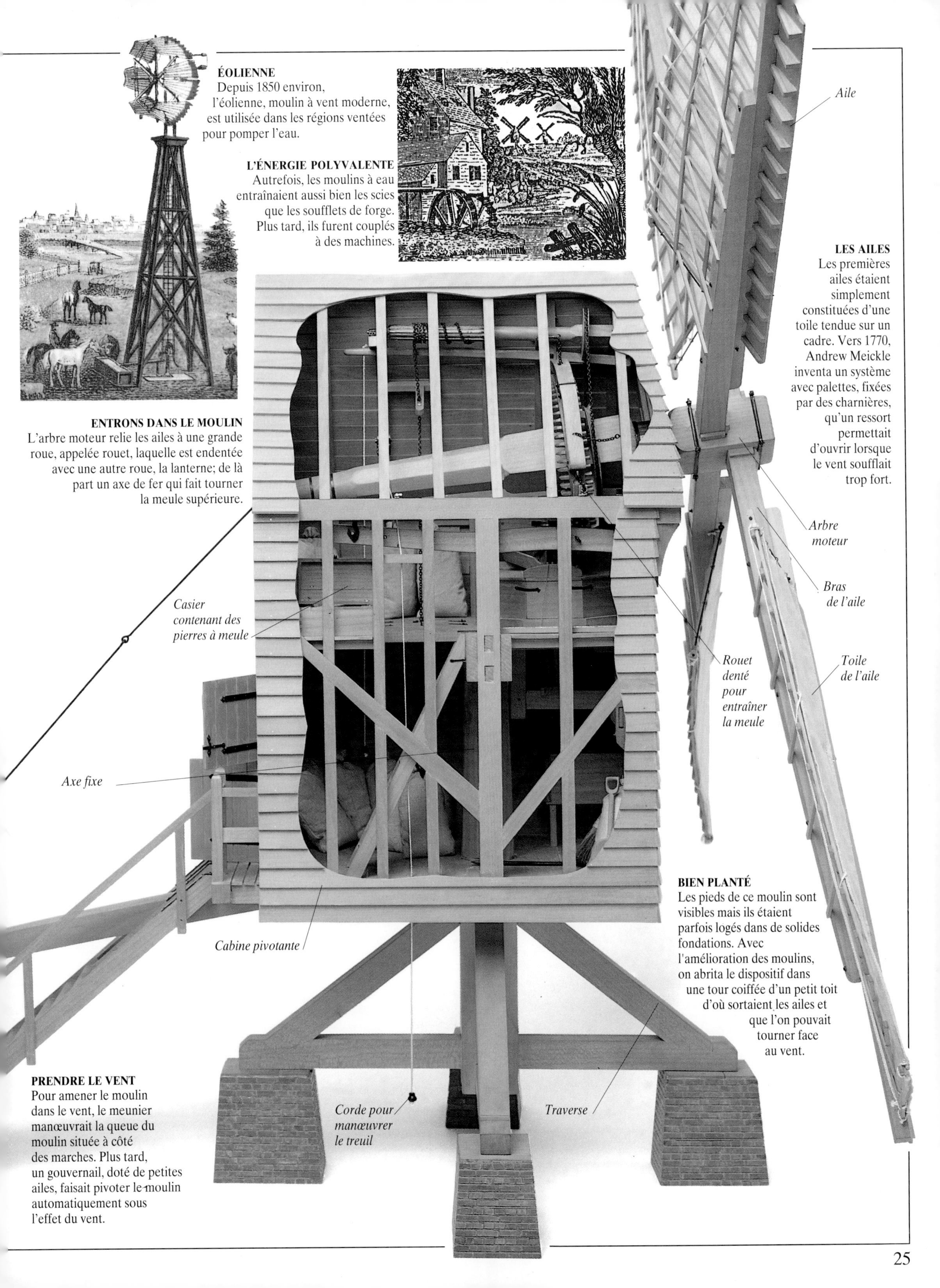

ÉOLIENNE
Depuis 1850 environ, l'éolienne, moulin à vent moderne, est utilisée dans les régions ventées pour pomper l'eau.

L'ÉNERGIE POLYVALENTE
Autrefois, les moulins à eau entraînaient aussi bien les scies que les soufflets de forge. Plus tard, ils furent couplés à des machines.

ENTRONS DANS LE MOULIN
L'arbre moteur relie les ailes à une grande roue, appelée rouet, laquelle est endentée avec une autre roue, la lanterne; de là part un axe de fer qui fait tourner la meule supérieure.

LES AILES
Les premières ailes étaient simplement constituées d'une toile tendue sur un cadre. Vers 1770, Andrew Meickle inventa un système avec palettes, fixées par des charnières, qu'un ressort permettait d'ouvrir lorsque le vent soufflait trop fort.

BIEN PLANTÉ
Les pieds de ce moulin sont visibles mais ils étaient parfois logés dans de solides fondations. Avec l'amélioration des moulins, on abrita le dispositif dans une tour coiffée d'un petit toit d'où sortaient les ailes et que l'on pouvait tourner face au vent.

PRENDRE LE VENT
Pour amener le moulin dans le vent, le meunier manœuvrait la queue du moulin située à côté des marches. Plus tard, un gouvernail, doté de petites ailes, faisait pivoter le moulin automatiquement sous l'effet du vent.

PREMIERS CARACTÈRES
Les caractères mobiles en argile durcie ont été inventés par le Chinois Bi Sheng, en 1041. Ceux-ci, plus récents, viennent de Turquie.

LES CARACTÈRES MOBILES, OU L'ESSOR DE L'IMPRIMERIE

Avant l'imprimerie, les livres étaient rares et chers parce que chaque exemplaire devait être écrit, ou recopié, à la main. Les premiers imprimeurs furent les Chinois et les Japonais au VIe siècle : ils gravaient textes et dessins sur des tablettes en bois, en argile ou en ivoire qu'ils encraient puis pressaient sur des feuilles de papier. C'est ce qu'on appelle l'impression tabellaire. Un grand pas fut franchi avec l'invention des caractères mobiles, en argile durcie, au XIe siècle, en Chine. Gravés sur des supports individuels, ils pouvaient être déplacés et réutilisés. Cette méthode d'imprimerie se répandit en Europe grâce, notamment, à Johannes Gutenberg qui, vers 1440, mit au point la fonte des caractères métalliques, améliorant ainsi la qualité de l'impression. Dès lors, il fut aisé d'en fabriquer beaucoup, à bon marché, et l'imprimerie devint rapidement prospère.

Impression tabellaire. Sur ce bloc de bois, retrouvé au Japon, tout un passage du texte est gravé.

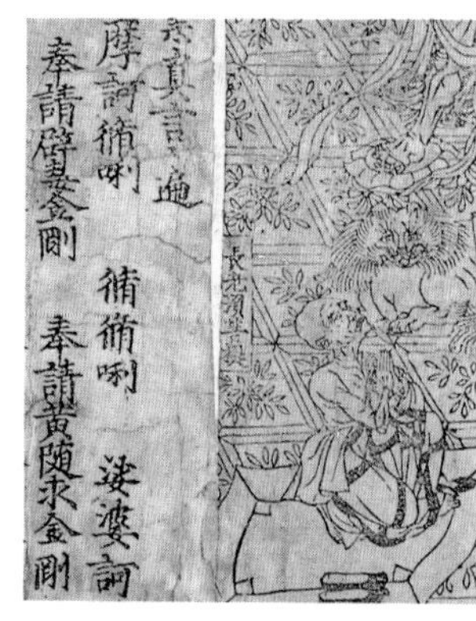

LIVRE CHINOIS
Celui-ci a été imprimé, il y a fort longtemps, à l'aide de caractères séparés en bois.

LES POINÇONS
Gutenberg gravait la lettre sur un poinçon de métal très dur. Il servait à fabriquer la matrice, par martelage dans un métal plus tendre.

Matrices

EN BONNE FORME
Chaque matrice porte l'impression d'une lettre ou d'un symbole.

UN ALLIAGE DE QUALITÉ
On versait le métal fondu, un mélange d'étain, de plomb et d'antimoine, dans le moule à l'aide d'une telle louche.

LA BIBLE DE GUTENBERG
En 1455, Gutenberg fabriqua le premier grand livre imprimé, la fameuse *Bible* «à quarante-deux lignes», considérée jusqu'à ce jour comme un chef-d'œuvre de l'impression.

Partie où s'insère la matrice

Ressort maintenant le moule fermé

LE MOULE
La matrice était placée au fond du moule que l'on refermait, puis on versait le métal par un orifice situé sur le dessus. Enfin, on rouvrait le moule pour dégager le caractère.

Vis pour fixer la lame

Lame métallique

RASÉ DE PRÈS
On égalisait le dos des caractères avec un rabot spécial pour que les lettres soient toutes de la même hauteur.

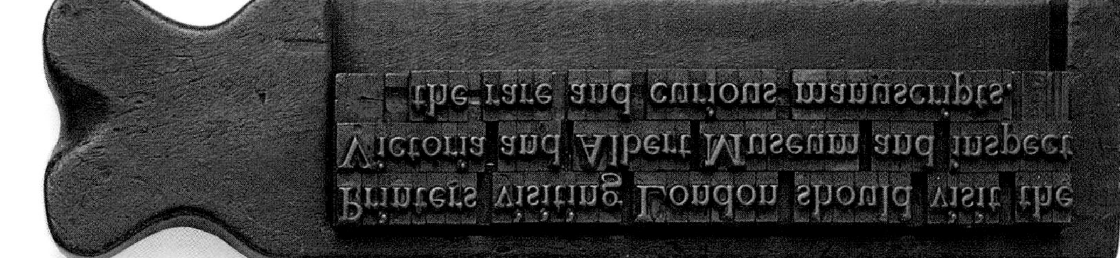

À L'ENVERS
Les premiers imprimeurs disposaient les caractères sur une réglette appelée composteur, et de droite à gauche, car, comme le miroir, l'impression inverse l'image.

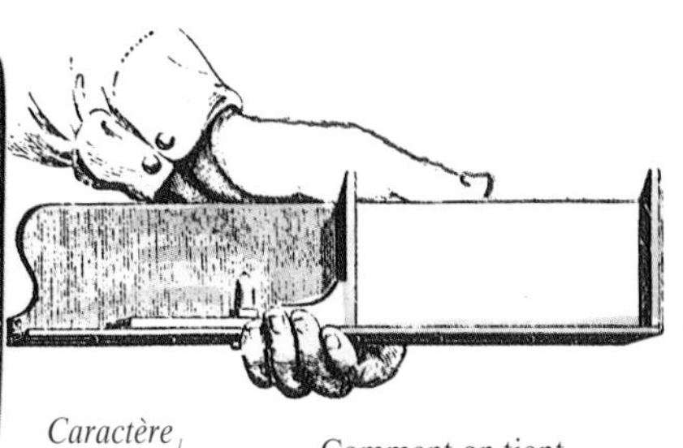

Caractère

Comment on tient le composteur

ESPACES ENTRE LES MOTS
On voit sur ce composteur moderne (ci-dessous) que l'on peut régler la longueur de la ligne en insérant de petites pièces qui séparent les mots. Elles ne s'imprimeront pas, car elles sont plus basses que les lettres.

Espace

Butée mobile pour régler la longueur de la ligne

Composition manuelle

L'ATELIER DE GUTENBERG
Vers 1440, l'orfèvre Johannes Gutenberg inventa une méthode pour fabriquer des caractères séparés à l'aide de métal fondu. Sur cette gravure, les typographes disposent les lettres et manient la presse. Les feuilles étaient ensuite suspendues pour faire sécher l'encre.

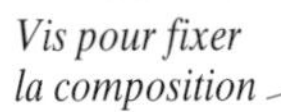

Vis pour fixer la composition

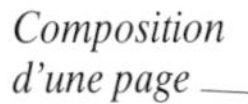

Composition d'une page

LA COMPOSITION
Lorsque la composition était prête, on la fixait solidement dans un châssis métallique avec des vis en bois ou en métal. Placée dans la presse, la forme était ensuite encrée et imprimée.

L'OPTIQUE : VOIR DE PRÈS ET VOIR AU LOIN

L'optique est une science fondée sur la propriété qu'ont les rayons lumineux de changer de direction – de se réfracter – lorsqu'ils passent d'un milieu à un autre, par exemple de l'air au verre. Dès la fin du premier millénaire, les Chinois avaient observé le phénomène de la réfraction de la lumière sur des lentilles. Celles-ci furent utilisées en Europe à partir des XIIIe et XIVe siècles pour corriger la vue : ce furent les premières lunettes, à verres convexes, pour les presbytes ; les verres concaves, pour myopes, apparurent bien plus tard. Les puissants instruments d'optique, capables d'agrandir de très petits objets et de rapprocher l'image d'objets éloignés, ne furent inventés qu'au XVIIe siècle : ainsi naquirent le télescope, au début du siècle, et le microscope, dans sa seconde moitié.

RAPPROCHER LE LOINTAIN
Toute personne qui, en assemblant deux lentilles, constatait qu'il avait rapproché l'image d'objets éloignés pouvait se dire l'inventeur d'un télescope.

LA VUE TROUBLE
Le binocle, assemblage de deux lentilles convexes destinées à corriger la vue, est apparu il y a plus de 700 ans mais son usage fut d'abord réservé à la lecture. On le posait simplement sur le nez car il était dépourvu de branches. A partir de 1450, on put se procurer des verres concaves pour corriger la myopie.

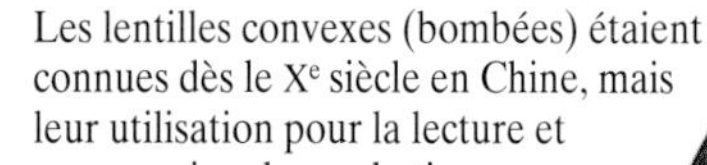

VOIR DE PRÈS
Les lentilles convexes (bombées) étaient connues dès le Xe siècle en Chine, mais leur utilisation pour la lecture et pour corriger la presbytie a probablement commencé en Europe. Celles-ci datent du XVIIe siècle.

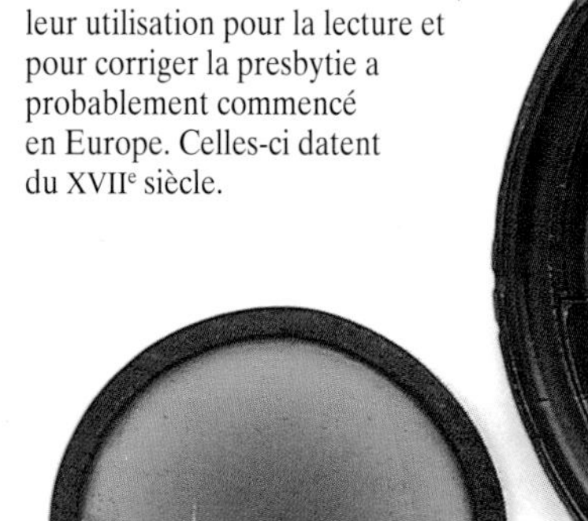

Binocle du XVIIe siècle

Au XVIIe siècle, le verre était souvent teinté.

Tube gainé de cuir

Obturateur de lentille

VISION COLORÉE
Les premiers télescopes à réfraction, comme ce modèle anglais du XVIIIe siècle, donnaient une image aux contours flous et colorés parce que les lentilles n'infléchissaient pas de la même façon toutes les couleurs de la lumière. En 1733, Chester Moor Hall accola deux lentilles de verres différents afin que la déformation due à l'une soit rectifiée par celle de l'autre.

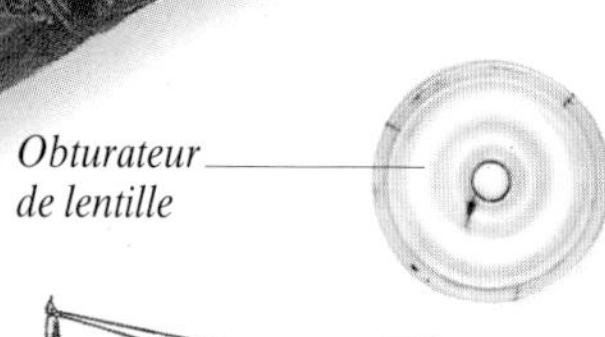

Lentille concave

Lentille convexe

ASTRONOMIE
Le célèbre savant et astronome italien Galileo Galilei fit œuvre de pionnier en utilisant des lunettes astronomiques à réfraction pour étudier le ciel. Cette copie de l'un de ses instruments comporte une lentille concave (l'oculaire) et une lentille convexe (l'objectif).

DOUBLE AGRANDISSEMENT
Le microscope composé n'a pas une mais deux lentilles. L'une, l'objectif, agrandit l'objet, l'autre, l'oculaire, agrandit la nouvelle image. Dès 1850, on pouvait agrandir un objet plus de 500 fois.

ANTONIE VAN LEEUWENHOEK
Cet Hollandais (1632-1723) fabriqua lui-même son microscope simple en meulant de minuscules lentilles pour les loger dans un cadre métallique. Parvenant à agrandir jusqu'à 270 fois, il fut l'un des premiers à observer l'infiniment petit de la nature, en particulier les «étranges petits animalcules» qui peuplent une goutte d'eau prélevée dans un étang.

TOUT BIEN RÉFLÉCHI
Le miroir du télescope à réflexion rectifie la distorsion causée par la courbure du verre et dispense d'utiliser des lentilles à grande longueur focale et de longs tubes de vision. Celui-ci a deux miroirs et une lentille oculaire.

Télescope de poche du XVIIIe siècle

PERFECTIONNÉ
Equipé d'un quadrant et d'un fil à plomb, ce télescope du XVIIe siècle permettait à l'astronome de déterminer l'altitude d'un objet dans le ciel.

INDISCRÉTION
La bonne société du XVIIIe siècle utilisait parfois la lorgnette : elle contient un miroir qui réfléchit les rayons lumineux de telle sorte que l'on peut surveiller une personne tout en regardant dans une autre direction!

JUMELLES DE THÉÂTRE
Celles-ci, décorées de nacre et d'émail, datent du XIXe siècle et ne sont que deux télescopes reliés ensemble. En 1880, l'invention des jumelles à prisme, qui «pliait» les rayons lumineux, permit d'utiliser un tube plus court pour un agrandissement plus grand.

LE CALCUL : CAILLOUX, BOULIERS ET PASCALINE

D'abord élémentaires et approximatives, les méthodes de calcul se firent plus précises lorsque les hommes se mirent à commercer. Ils comptèrent en premier lieu sur leurs doigts puis à l'aide de cailloux représentant les nombres de 1 à 10. Il y a environ 5 000 ans, les Mésopotamiens dessinaient sur le sol des sillons dans lesquels ils plaçaient des cailloux : ils effectuaient des calculs simples en les déplaçant d'un sillon à l'autre. Plus tard, en Chine et au Japon, l'abaque – forme primitive du boulier –, avec ses rangées de boules représentant les unités, les dizaines et les centaines, offrit de nouvelles possibilités. La grande étape suivante ne fut franchie qu'au XVIIe siècle avec l'invention des tables de logarithmes, la règle à calcul et la machine à calculer, dont la « pascaline » du savant français Blaise Pascal.

La boule supérieure vaut cinq fois une boule inférieure.

BOULIER DE POCHE
Les Romains utilisaient aussi le boulier. Sur cette copie en cuivre, chaque rainure supérieure contient une boule représentant cinq fois la valeur d'une boule de la rainure inférieure.

L'ABAQUE
Ancêtre du boulier, il permettait à un utilisateur expérimenté d'effectuer des calculs très rapidement.

BOULIER CHINOIS
Chaque boule supérieure représente cinq fois la valeur d'une boule inférieure. Les calculs s'effectuent en rapprochant de la barre transversale les boules qui symbolisent les nombres. A l'âge de la calculatrice électronique, son usage est encore très répandu en Chine et au Japon.

LES AFFAIRES SONT LES AFFAIRES
Au Moyen Age, avec le développement du commerce en Europe, il devint indispensable de calculer rapidement et sans erreur. Sur cette peinture flamande, un marchand additionne les poids de pièces d'or.

Encoche

LES BONS COMPTES FONT LES BONS AMIS
Vendeurs et acheteurs du Moyen Age faisaient des encoches sur des baguettes qu'ils fendaient ensuite en deux pour garder chacun une trace de l'opération.

LES LOGARITHMES
Pour multiplier deux nombres, on additionne leurs logarithmes. C'est selon ce principe que fut créée cette règle à calcul : une règle graduée, mobile se déplace dans une autre règle présentant d'autres graduations.

Graduations parallèles

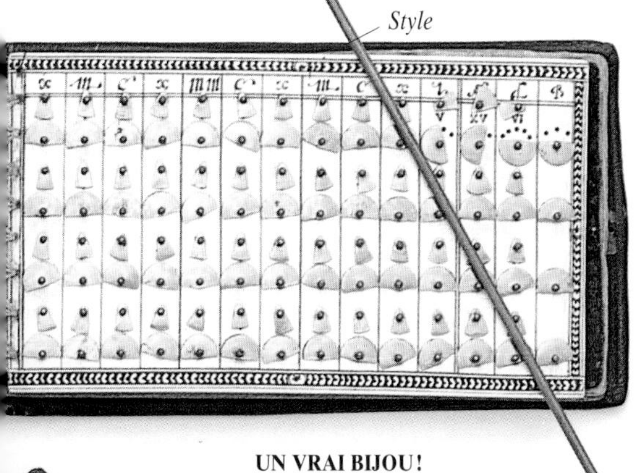

UN VRAI BIJOU !
Le propriétaire de cette petite merveille, de cuivre et d'ivoire, devait être fortuné. Fabriquée par William Pratt en 1616, elle permettait d'effectuer additions et soustractions. Des chiffres sont gravés sur les roues que l'on faisait tourner à l'aide du style.

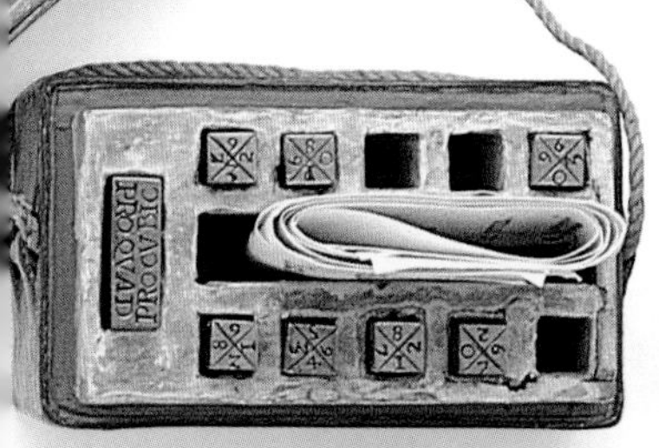

LES BÂTONS DE NAPIER
Cette calculatrice fut mise au point par John Napier au début du XVIIe siècle. Pour obtenir les multiples d'un nombre x supérieur à 9, on place côte à côte les réglettes portant en leur extrémité les nombres dont la somme vaut x, et on additionne les nombres d'un même niveau.

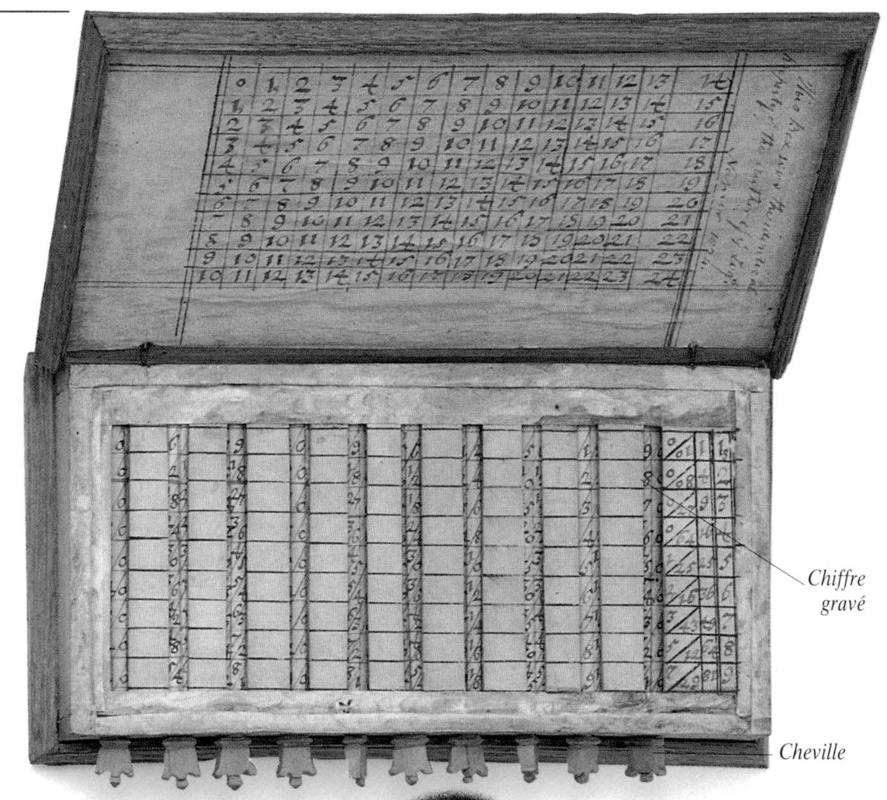

ENCORE MIEUX
Cet instrument repose sur le principe des réglettes népériennes (de Napier), mais les chiffres sont gravés sur des baguettes rondes placées dans un écrin et que l'on peut tourner à l'aide de chevilles.

Blaise Pascal (1623-1662)

LA PASCALINE
C'est pour aider son père, collecteur d'impôts, que Blaise Pascal a inventé cette machine, en 1642. Des chiffres sont gravés sur les roues dentées que l'on fait tourner pour afficher les nombres à additionner ou à soustraire : le résultat apparaît dans les fenêtres.

LA MACHINE À VAPEUR : L'INSTRUMENT DE LA RÉVOLUTION INDUSTRIELLE

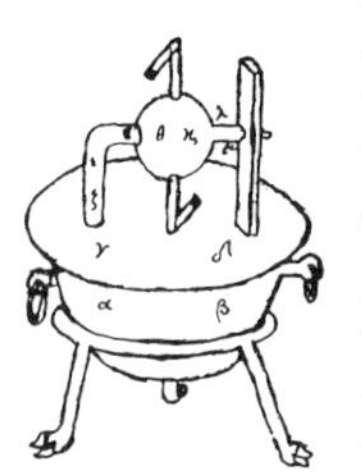

Machine à vapeur de Héron d'Alexandrie

Depuis l'Antiquité, la puissance de la vapeur et l'énergie qu'elle libère ont fasciné les hommes de science. Dès le premier siècle de notre ère, les savants grecs avaient compris son intérêt mais sans chercher à l'utiliser pour actionner un quelconque mécanisme. Les premiers engins à vapeur furent conçus à la fin du XVIIe siècle par des ingénieurs anglais comme le marquis de Worcester et Thomas Savery – sa machine était destinée à pomper l'eau des mines. En France, Denis Papin (p. 55) songe à utiliser la force de la vapeur pour soulever un piston qui chasse l'eau d'un cylindre. Mais la première machine à vapeur vraiment utilisable fut celle de l'Anglais Thomas Newcomen, en 1712, que l'Écossais James Watt améliora en condensant la vapeur en dehors du cylindre principal. La force motrice ainsi décuplée fut désormais employée dans les mines et les usines. Les développements de ces techniques conduisirent à l'emploi de la haute pression dans les machines des locomotives et des bateaux à vapeur.

UNE CURIOSITÉ SCIENTIFIQUE
Au premier siècle de notre ère, Héron d'Alexandrie inventa l'éolipyle qui mettait en évidence la force motrice de la vapeur d'eau : dans une sphère remplie d'eau portée à ébullition, la vapeur s'échappait de tuyères courbes et la sphère se mettait à tourner.

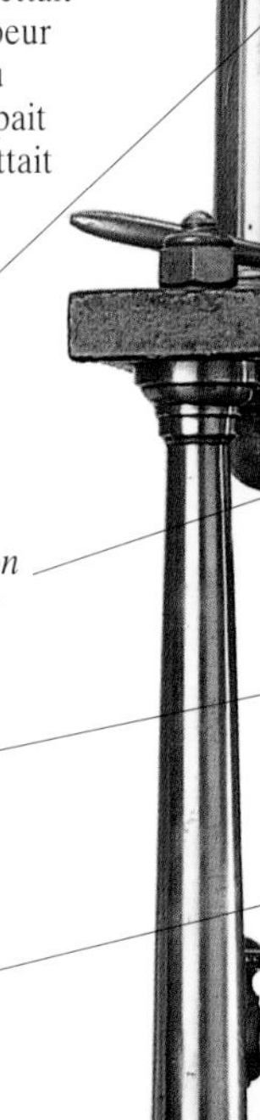

POMPE À EAU
L'Anglais Thomas Savery mit au point en 1698 une machine pour pomper l'eau qui envahissait les galeries des mines : la vapeur d'une chaudière emplissait un ballon; condensée, elle redevenait de l'eau qui aspirait l'eau de la mine. Celle-ci était alors propulsée le long d'un tuyau vertical, par un système de valves et de robinets d'arrêt. Thomas Newcomen (1663-1729) améliora le procédé en 1712.

PISTON ET BALANCIER
Dans la machine de Newcomen, la vapeur entre dans un cylindre où se meut un piston muni de clapets. Lorsque celui-ci se soulève, il aspire le liquide sous l'effet de la pression atmosphérique. Lorsqu'il s'abaisse, l'eau passe au-dessus de lui par le jeu des clapets. Le mouvement est communiqué à un balancier qui surmonte le tout.

SUR DES RAILS
En 1802, l'ingénieur gallois Richard Trevithick (1771-1833) inventa la locomotive à vapeur mue par une petite machine à haute pression; mais c'est l'Anglais George Stephenson (1781-1848) qui fabriqua la première, en 1814, et lui donna le nom de *Blücher*. D'autres locomotives suivirent, dont la *Rocket* qui parcourait 47 km/h, donc plus qu'un cheval au galop.

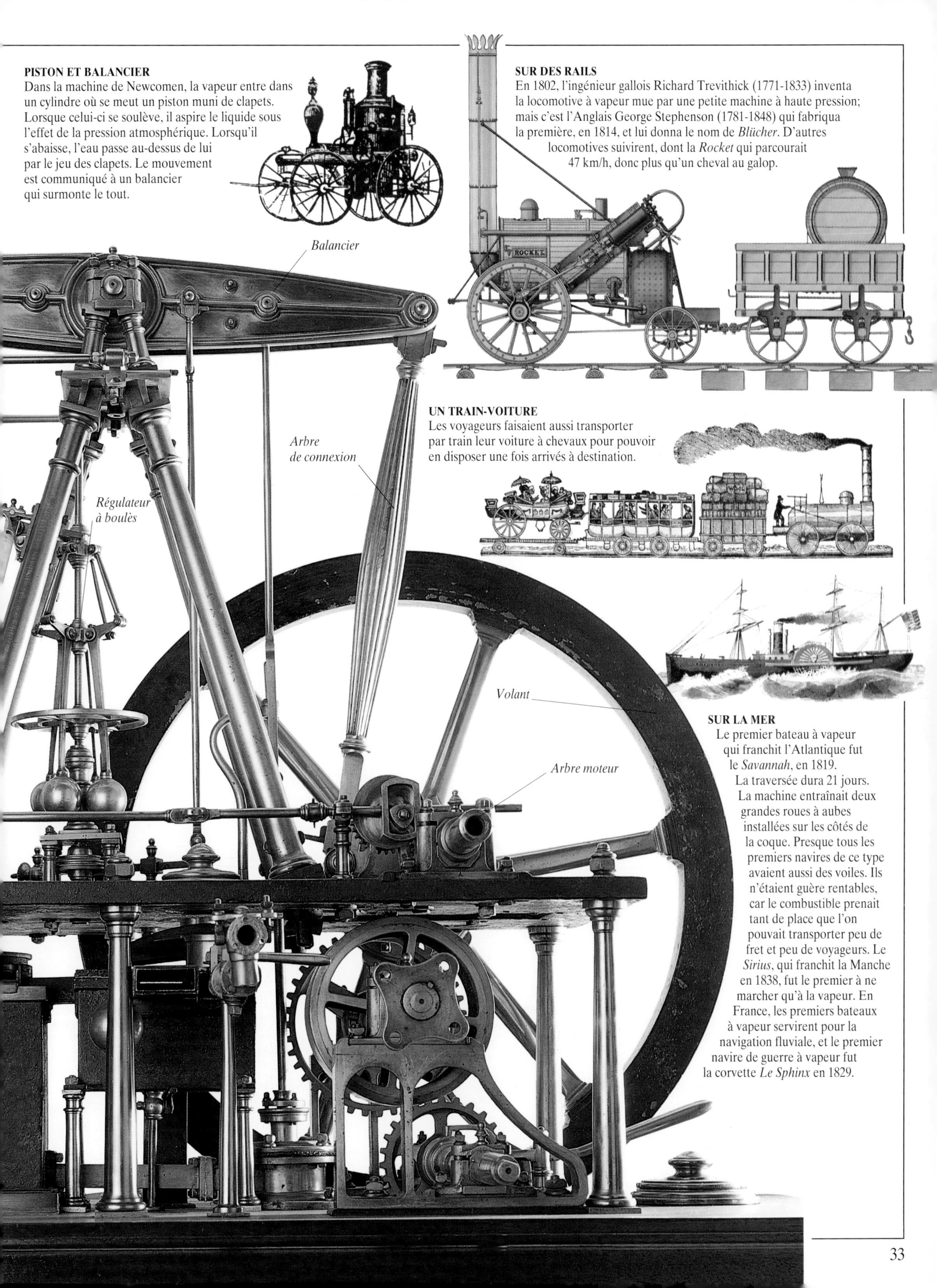

UN TRAIN-VOITURE
Les voyageurs faisaient aussi transporter par train leur voiture à chevaux pour pouvoir en disposer une fois arrivés à destination.

SUR LA MER
Le premier bateau à vapeur qui franchit l'Atlantique fut le *Savannah*, en 1819. La traversée dura 21 jours. La machine entraînait deux grandes roues à aubes installées sur les côtés de la coque. Presque tous les premiers navires de ce type avaient aussi des voiles. Ils n'étaient guère rentables, car le combustible prenait tant de place que l'on pouvait transporter peu de fret et peu de voyageurs. Le *Sirius*, qui franchit la Manche en 1838, fut le premier à ne marcher qu'à la vapeur. En France, les premiers bateaux à vapeur servirent pour la navigation fluviale, et le premier navire de guerre à vapeur fut la corvette *Le Sphinx* en 1829.

MESURER LES DISTANCES SUR MER ET SUR TERRE

Les instruments de navigation prirent toute leur importance quand apparurent les premières flottes égyptienne et babylonienne, il y a quelque 5 000 ans. À la même époque, les Égyptiens construisirent leurs premières pyramides et durent également s'initier à l'arpentage. Les Grecs, 500 ans av. J.-C., puis les Arabes et les Indiens s'intéressèrent à l'astronomie, à la géométrie et à la trigonométrie, et furent à l'origine d'instruments tels que l'astrolabe et le compas. Plus tard, grâce à l'observation du déplacement des corps célestes et à l'étude du rapport entre angle et distance, les navigateurs du Moyen Âge établirent un système de longitude et de latitude qui leur permit de retrouver leur chemin loin de tout repère terrestre. Aux différents instruments d'arpentage utilisés et répandus par les Romains, les architectes de la Renaissance ajoutèrent le théodolite, appareil servant à mesurer les angles réduits à l'horizon, toujours en usage.

DANS LA BONNE DIRECTION
Le compas magnétique était utilisé en Europe dès le XIIIe siècle, mais on dit que les Chinois avaient observé 1 000 ans plus tôt qu'un morceau de minerai de fer magnétique suspendu se mettait toujours dans l'axe nord-sud.

À ANGLE DROIT
Les premiers instruments d'arpentage des Egyptiens n'étaient efficaces que sur terrain plat et ne permettaient d'évaluer que certains angles. A l'aide de ce groma, on pouvait situer des objets éloignés sur un plan horizontal par rapport à la position des pierres.

TOUT DU LONG
Toutes sortes de cordes, de chaînes, de rubans et de baguettes ont servi à mesurer les distances. Vers 1620, Edmund Gunter réalisa cette chaîne de 20 m de long et composée de 100 chaînons, des jalons étant disposés à intervalles réguliers.

L'OCTANT
Vers 1730, le navigateur anglais John Hadley inventa l'octant, qui représente 1/8 de cercle, pour mesurer la hauteur du Soleil, de la Lune ou des étoiles. Le marin pouvait ainsi déterminer sur quelle latitude il se trouvait. Ce modèle date de 1750 environ.

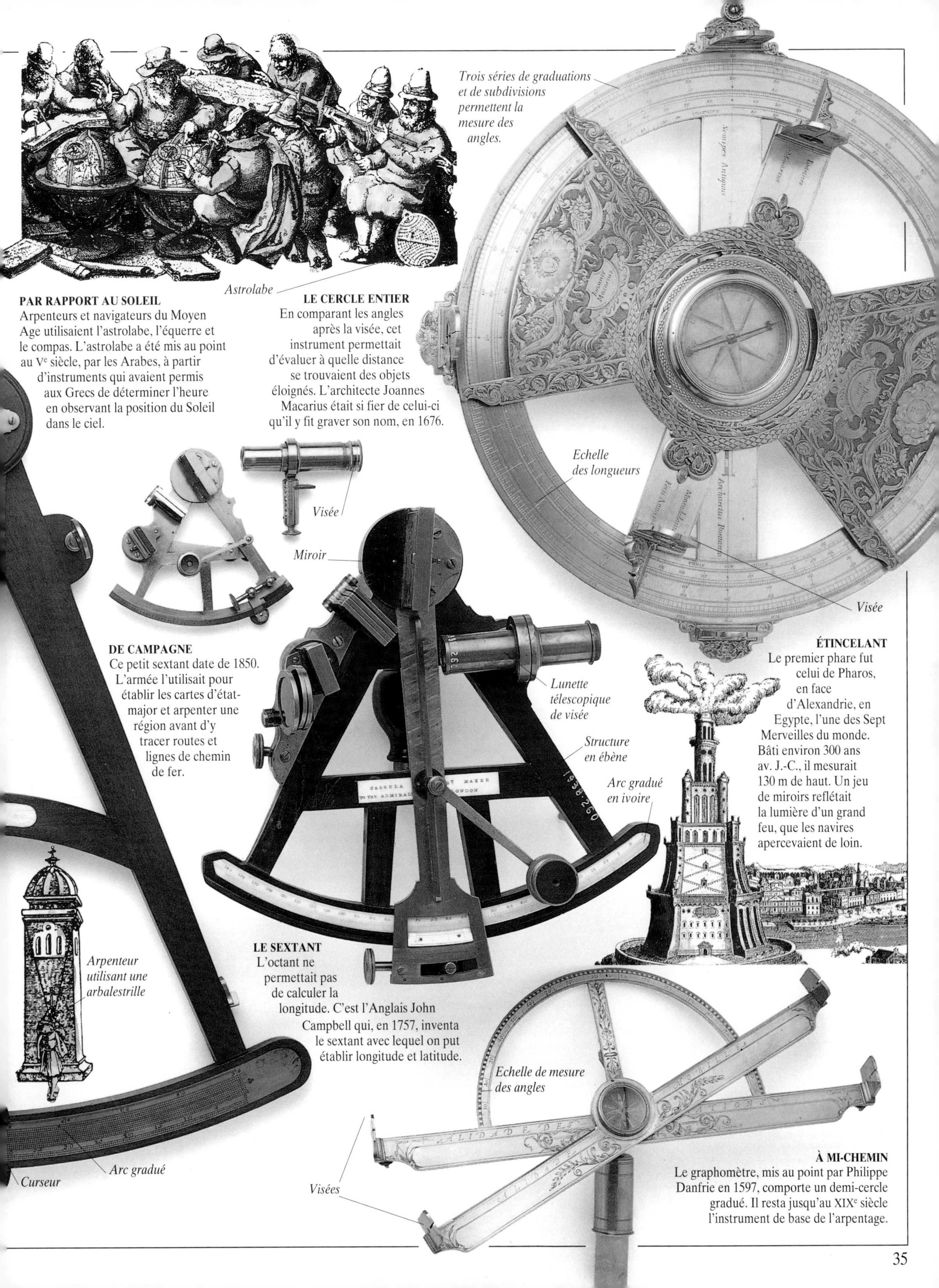

PAR RAPPORT AU SOLEIL
Arpenteurs et navigateurs du Moyen Age utilisaient l'astrolabe, l'équerre et le compas. L'astrolabe a été mis au point au Ve siècle, par les Arabes, à partir d'instruments qui avaient permis aux Grecs de déterminer l'heure en observant la position du Soleil dans le ciel.

LE CERCLE ENTIER
En comparant les angles après la visée, cet instrument permettait d'évaluer à quelle distance se trouvaient des objets éloignés. L'architecte Joannes Macarius était si fier de celui-ci qu'il y fit graver son nom, en 1676.

DE CAMPAGNE
Ce petit sextant date de 1850. L'armée l'utilisait pour établir les cartes d'état-major et arpenter une région avant d'y tracer routes et lignes de chemin de fer.

ÉTINCELANT
Le premier phare fut celui de Pharos, en face d'Alexandrie, en Egypte, l'une des Sept Merveilles du monde. Bâti environ 300 ans av. J.-C., il mesurait 130 m de haut. Un jeu de miroirs reflétait la lumière d'un grand feu, que les navires apercevaient de loin.

LE SEXTANT
L'octant ne permettait pas de calculer la longitude. C'est l'Anglais John Campbell qui, en 1757, inventa le sextant avec lequel on put établir longitude et latitude.

À MI-CHEMIN
Le graphomètre, mis au point par Philippe Danfrie en 1597, comporte un demi-cercle gradué. Il resta jusqu'au XIXe siècle l'instrument de base de l'arpentage.

L'ART DU FILAGE ET DU TISSAGE

Les hommes qui vécurent aux temps des glaciations furent les premiers à se vêtir pour se préserver du froid, mais ils ne portaient que des peaux de bêtes. Il y a 10 000 ans environ, probablement au Moyen-Orient, on commença à confectionner des vêtements. La fabrication du fil était obtenue en tordant ensemble, à l'aide d'un fuseau, des brins de laine, de coton, de lin ou de chanvre ; sur les métiers primitifs, des poids tendaient verticalement les fils de la chaîne, tandis qu'on les soulevait de la main gauche, un par un, pour faire passer les fils perpendiculaires de la trame. Plus tard, des baguettes maintenaient écartés les fils entre lesquels on passait une pièce de bois, la navette, qui contenait la bobine de fil. Ces principes de base n'ont pas changé, même si la révolution industrielle du XVIIIe siècle a automatisé le processus. Ainsi, avec la « mule jenny » (métier renvideur automatique de 1779), on put fabriquer de nombreux fils simultanément et en continu, et la mise au point de la navette volante permit de tisser rapidement de grandes pièces d'étoffe.

AU MOYEN ÂGE
Vers l'an 1300, le métier à tisser horizontal, d'origine indienne, parvint en Europe. Un cadre de corde ou de fer maintenait séparés les fils de chaîne entre lesquels on passait la navette à la main.

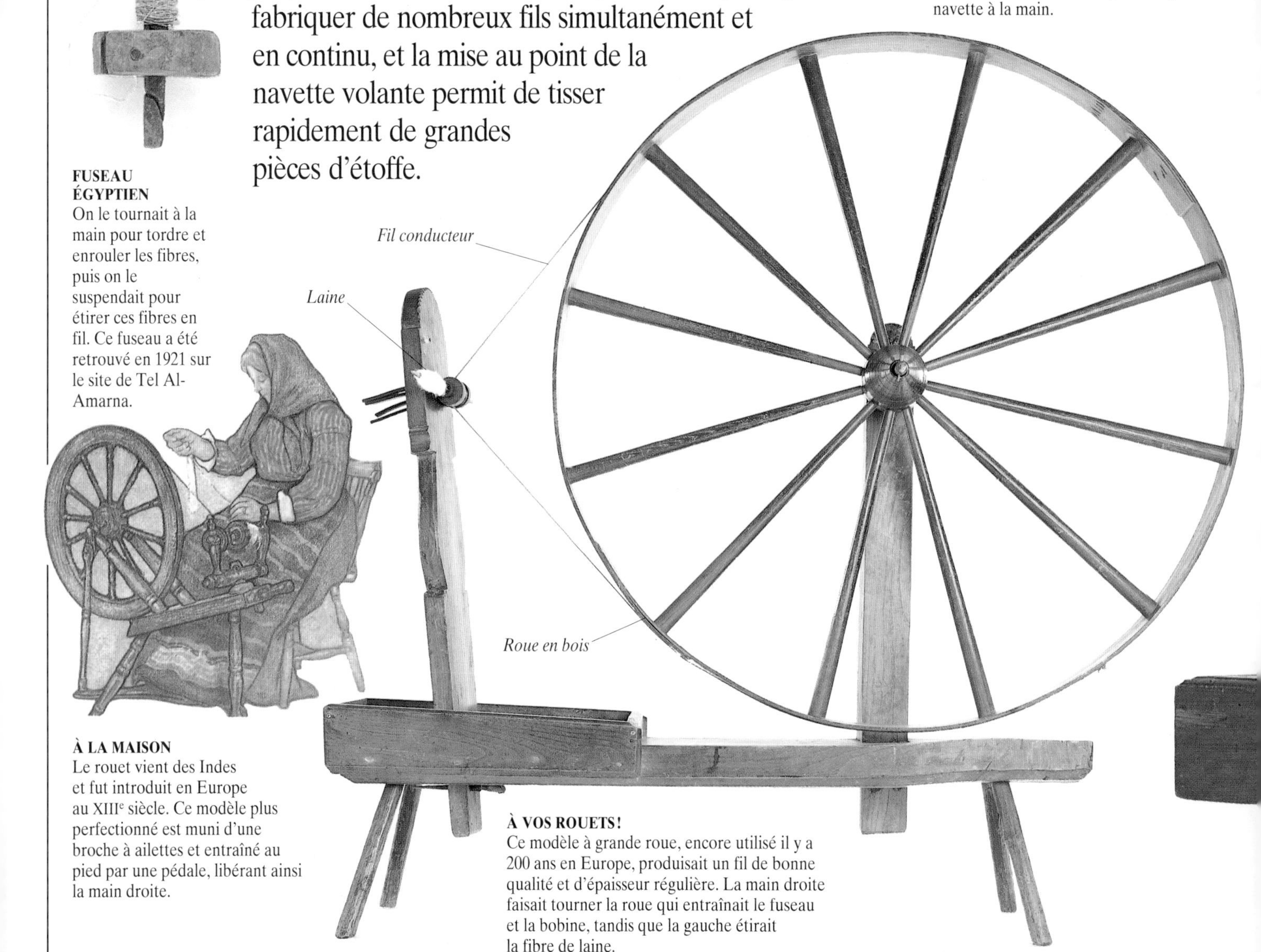

FUSEAU ÉGYPTIEN
On le tournait à la main pour tordre et enrouler les fibres, puis on le suspendait pour étirer ces fibres en fil. Ce fuseau a été retrouvé en 1921 sur le site de Tel Al-Amarna.

À LA MAISON
Le rouet vient des Indes et fut introduit en Europe au XIIIe siècle. Ce modèle plus perfectionné est muni d'une broche à ailettes et entraîné au pied par une pédale, libérant ainsi la main droite.

À VOS ROUETS !
Ce modèle à grande roue, encore utilisé il y a 200 ans en Europe, produisait un fil de bonne qualité et d'épaisseur régulière. La main droite faisait tourner la roue qui entraînait le fuseau et la bobine, tandis que la gauche étirait la fibre de laine.

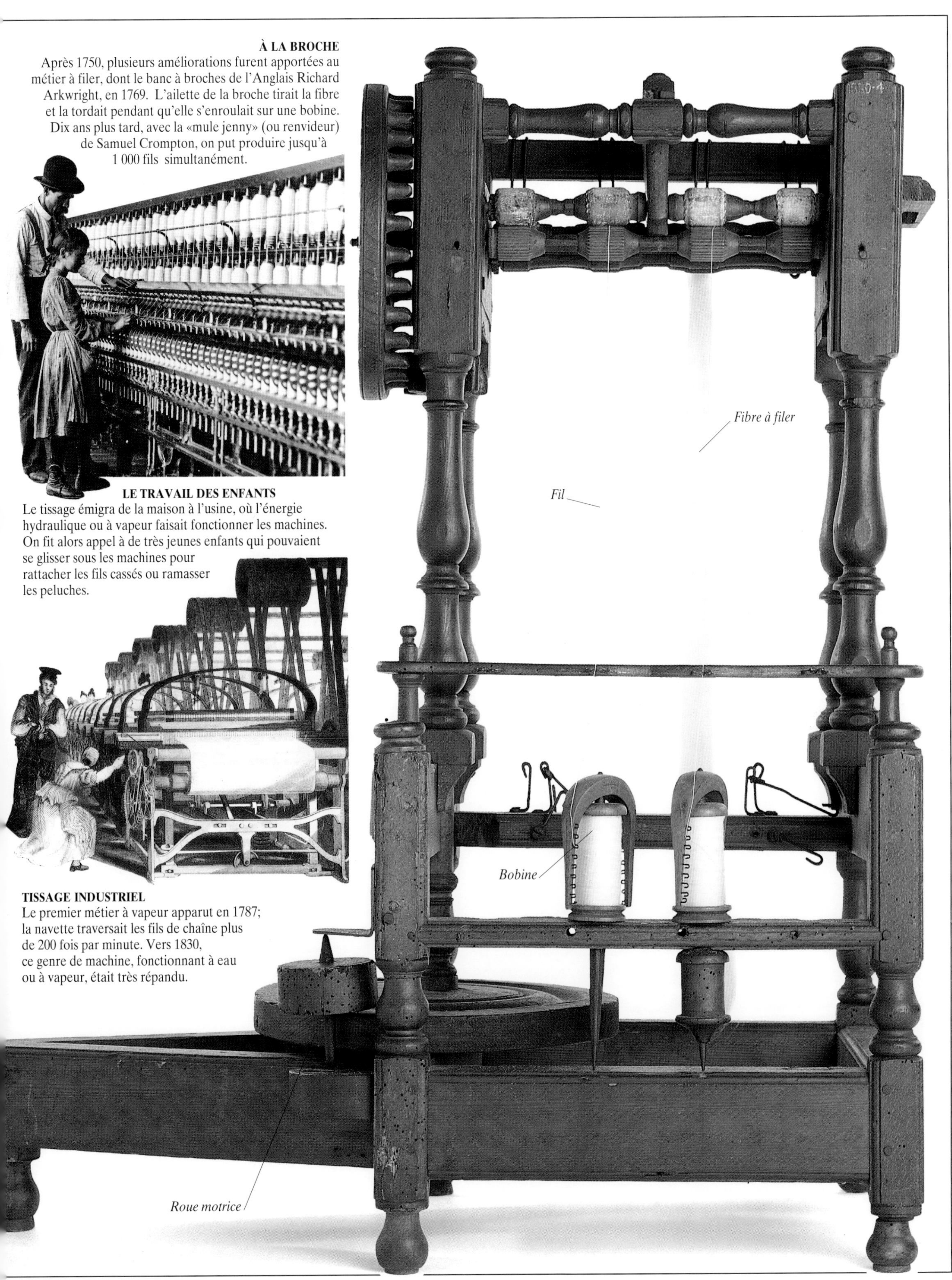

À LA BROCHE

Après 1750, plusieurs améliorations furent apportées au métier à filer, dont le banc à broches de l'Anglais Richard Arkwright, en 1769. L'ailette de la broche tirait la fibre et la tordait pendant qu'elle s'enroulait sur une bobine. Dix ans plus tard, avec la «mule jenny» (ou renvideur) de Samuel Crompton, on put produire jusqu'à 1 000 fils simultanément.

LE TRAVAIL DES ENFANTS

Le tissage émigra de la maison à l'usine, où l'énergie hydraulique ou à vapeur faisait fonctionner les machines. On fit alors appel à de très jeunes enfants qui pouvaient se glisser sous les machines pour rattacher les fils cassés ou ramasser les peluches.

TISSAGE INDUSTRIEL

Le premier métier à vapeur apparut en 1787; la navette traversait les fils de chaîne plus de 200 fois par minute. Vers 1830, ce genre de machine, fonctionnant à eau ou à vapeur, était très répandu.

AVEC LA BATTERIE, L'ÉNERGIE ÉLECTRIQUE EST MISE EN BOÎTE

Il y a plus de 2 500 ans déjà, le mathématicien et philosophe grec Thalès obtint des étincelles d'électricité en frottant un tissu contre de l'ambre jaune, résine d'arbre fossilisée. Mais il faudra attendre le XIXe siècle pour que l'on parvienne à utiliser ce phénomène dans l'élaboration de batteries capables de produire un courant électrique régulier. En 1800, le physicien italien Alessandro Volta (1745-1827) publia le schéma d'une pile qui fonctionnait grâce à la réaction chimique de certaines solutions au contact d'électrodes métalliques. D'autres savants, dont le physicien anglais John Daniell (1790-1845), améliorèrent le procédé en utilisant divers matériaux pour la fabrication des électrodes. Aujourd'hui, piles et batteries obéissent aux mêmes principes de base.

Electrodes métalliques

Tissu

LA PILE DE VOLTA
Des disques de zinc et d'argent (ou de cuivre) étaient séparés par des tampons imbibés d'acide dilué ou d'une solution salée. Le courant parcourait un fil métallique qui reliait le sommet de la pile de disques à sa base. Le volt, du nom du physicien italien, est une unité de mesure de force électromotrice.

LE PREMIER PARATONNERRE
En 1752, l'Américain Benjamin Franklin lança un cerf-volant lors d'un orage. L'électricité courut le long du fil humide et produisit une petite étincelle. La preuve était faite que les nuages d'orage contiennent de l'électricité.

ÉLECTRICITÉ ANIMALE
L'anatomiste italien Luigi Galvani (1737-1798) constata en 1791 que les pattes d'une grenouille morte se contractaient au contact de deux métaux différents. Il attribua ce fait à l'«électricité animale», mais Volta, en reprenant ses travaux, démontra que la contraction était due au contact des deux métaux sur l'humidité des pattes. Tout se passait donc comme dans une batterie.

BAC CHIMIQUE
Pour augmenter les voltages, on reliait plusieurs piles, chacune ayant sa paire d'électrodes de métaux différents. En 1800, l'Anglais Cruikshank inventa à partir de la pile Volta ce «bac» à piles : les plaques métalliques étaient soudées dos à dos et cimentées dans les compartiments d'un coffret en bois. Puis le coffret était rempli d'acide dilué ou de chlorure d'ammonium.

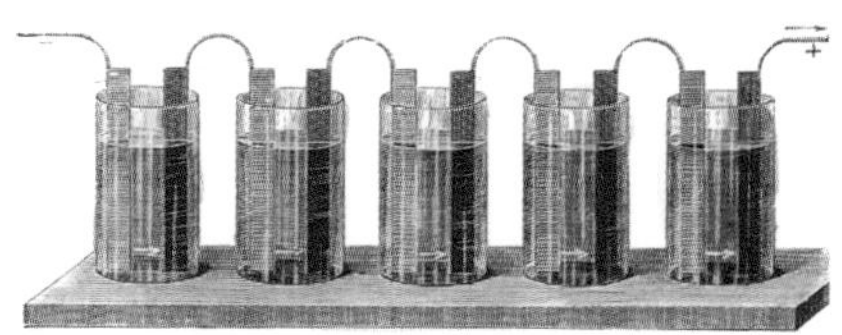

UTILISATION MAXIMALE
Vers 1810, le chimiste anglais W. H. Wollaston mit au point une batterie semblable à celle-ci : les deux côtés des plaques de zinc pouvaient être utilisés car celles-ci étaient insérées dans des plaques de cuivre en forme de U. Entre deux utilisations, on les retirait de l'électrolyte afin de les protéger.

EFFICACE ET FIABLE
La pile de Daniell fut la première à fournir un voltage régulier pendant un long moment. Une électrode en cuivre baignait dans du sulfate de cuivre; l'autre, en zinc, dans de l'acide sulfurique. L'électrolyte était immobilisé par un vase poreux.

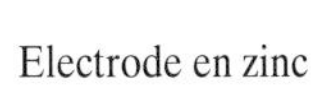

Electrode en zinc

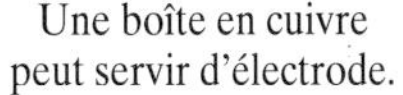

Une boîte en cuivre peut servir d'électrode.

Vase poreux

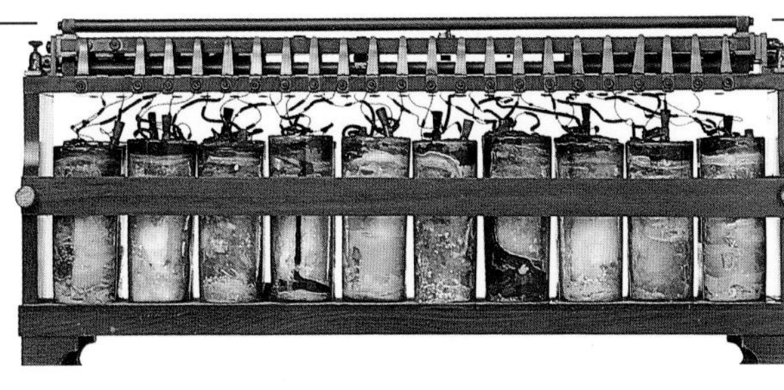

BATTERIE RECHARGEABLE
Le physicien français Gaston Planté inventa en 1859 l'accumulateur au plomb rechargeable. Les électrodes sont en plomb et en oxyde de plomb et trempent dans de l'acide sulfurique.

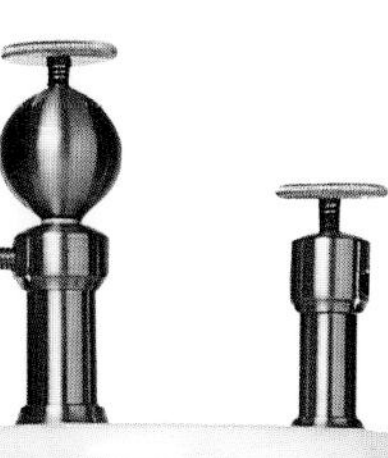

Borne (ou cosse)

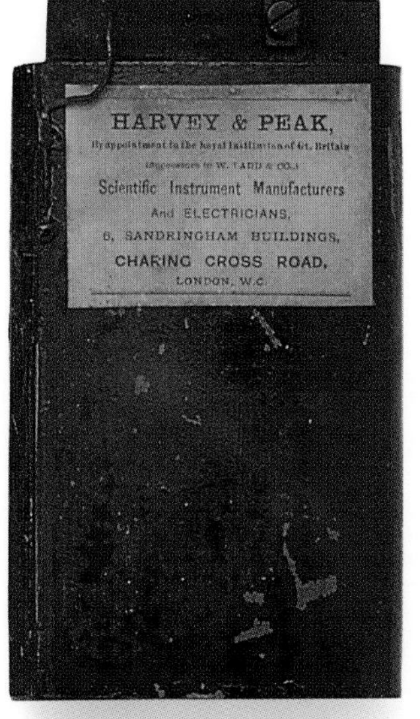

LA PILE DE GASSNER
On doit à ce chimiste une version de la pile «sèche». Une boîte en zinc faisait office d'électrode négative et un crayon de charbon d'électrode positive. Entre les deux se trouvait un mélange épais de chlorure d'ammonium et de plâtre de Paris.

PRUDENCE
Les premières batteries à acide nitrique concentré dégageaient des vapeurs toxiques. C'est pour éviter cet inconvénient que fut inventée en 1850 la pile à bichromate. Le flacon en verre contenait de l'acide chromique; des lames de zinc et de carbone faisaient office d'électrodes.

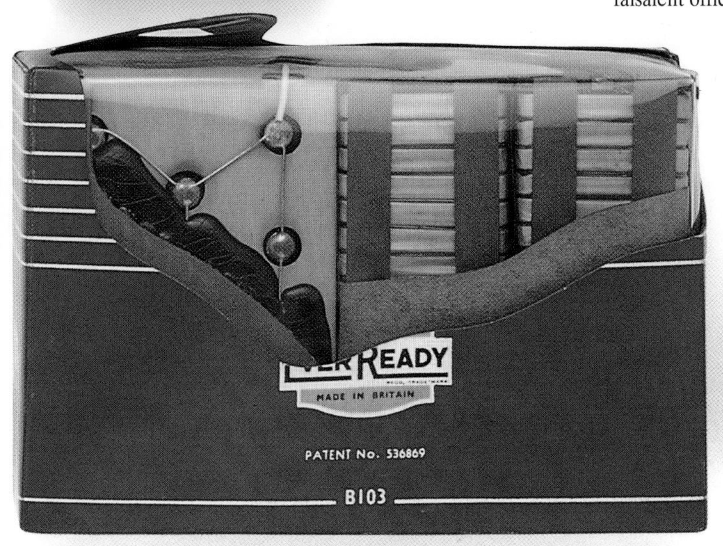

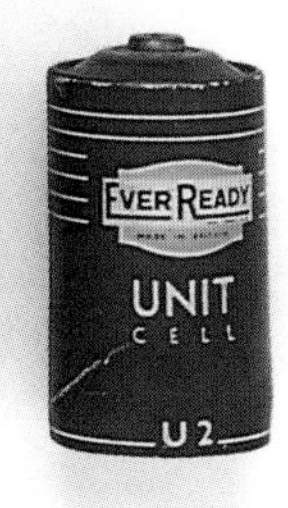

PUISSANCE EN BOÎTE
La pile «sèche» est une boîte en zinc qui sert d'électrode, contenant une pâte électrolyte humide.
L'autre électrode est un crayon de charbon placé au centre. Toutes sortes de matériaux peuvent être utilisés pour les électrodes.
La première pile à longue durée fut au mercure. D'autres, au lithium, sont très légères et durent encore plus longtemps. On les utilise dans les stimulateurs cardiaques.

LA NAISSANCE DE LA PHOTOGRAPHIE

Issue de l'optique (p. 28) et de la chimie, l'invention de la photographie permit d'obtenir rapidement la reproduction exacte de n'importe quel objet. L'image projetée par le Soleil sur un écran avait été observée dès le IVe siècle par les Chinois, puis au IXe siècle par les astronomes arabes. Vers le XVIe siècle, des artistes italiens, dont le peintre Canaletto, utilisaient déjà lentilles et chambre noire pour exécuter leurs dessins. Puis, en 1725, le physicien allemand Johann Heinrich Schulze observa qu'une solution de nitrate d'argent exposée à la lumière solaire noircissait. Enfin, en 1827, grâce à une plaque métallique, enduite d'une matière sensible à la lumière, le Français Nicéphore Niepce réussit à reproduire de façon permanente un objet.

DANS LA BOÎTE NOIRE
La chambre noire fut d'abord une pièce obscure ou une grande boîte percée d'un petit orifice. Des images étaient projetées sur des murs ou sur un écran aménagé dans la boîte. A partir du XVIe siècle, une lentille remplaça le «trou d'aiguille».

NÉGATIF-POSITIF
Voici un calotype, mis au point en 1841 par l'Anglais Henry Fox Talbot. Version améliorée d'un procédé qu'il avait inventé, au moment où apparaissait le daguerréotype, cet appareil fournissait un négatif à partir duquel on pouvait tirer de nombreuses images positives.

LE DAGUERRÉOTYPE

En 1827, Nicéphore Niepce enduisit de bitume de Judée une plaque d'étain avant de l'exposer pendant 8 heures à un rayon lumineux dans une chambre noire. Là où la lumière avait frappé, le bitume avait blanchi en durcissant après lavage des autres zones restées solubles, laissant une image bien visible. Ce procédé fut perfectionné en 1839 par son associé Jacques-Louis Daguerre, avec le daguerréotype.

Obturateur de lentille

EXPOSITION
Dans certains daguerréotypes, on observait l'objet par un trou pratiqué dans le fond de la boîte. Après avoir inséré une plaque photographique, on ôtait l'obturateur de la lentille et on dévoilait la plaque pour l'exposer à la lumière, puis on les masquait de nouveau.

Objectif réglable

PREMIERS PORTRAITS
Le daguerréotype comportait une plaque de cuivre enduite de chlorure d'argent et que l'on traitait à la vapeur d'iode pour la sensibiliser à la lumière. L'image obtenue était développée à la vapeur de mercure puis fixée à l'aide d'une forte solution salée.

Etui de plaque

Bague d'ouverture de l'objectif

Lentilles et fixations

Daguerréotype pliant

RESPECTER LA PERSPECTIVE
Ce daguerréotype de 1840 était équipé d'un jeu de lentilles vissées et d'un diaphragme qui en réglait l'ouverture, ce qui permettait de photographier sous des éclairages différents des objets proches ou éloignés.

POIDS LOURD
Les premiers appareils ne permettant pas l'agrandissement, il fallait utiliser des plaques de verre de toutes dimensions. Le photographe transportait aussi la tente sombre sous laquelle il opérait, les solutions chimiques, l'eau, les plaques, soit plus de 50 kg.

LA PLAQUE HUMIDE

À partir de 1839, la sensibilité fut encore améliorée par l'utilisation de sels d'argent. Puis, en 1849, le Français Le Gray et, en 1851, l'Anglais Frederick Scott Archer mirent au point une plaque de verre plus sensible : recouverte d'une préparation à base de collodion humide, elle reproduisait tous les détails d'une image en moins de 30 secondes. Ce procédé était salissant, mais donnait d'excellents résultats.

Produits chimiques pour préparer l'émulsion au collodion

Négatif sur plaque au collodion

Etui de plaque

PRÉPARATIONS CHIMIQUES
La plaque de verre était enduite de sels d'argent et d'une substance gluante, le collodion. Développée avec de l'acide pyrogallique, elle était fixée par l'hyposulfite de sodium. De petits flacons comme ceux-ci contenaient ces produits.

EN VUE OU HORS DE VUE
Cet appareil était monté sur trépied. On pouvait rapprocher la partie arrière, contenant la plaque, de la partie avant renfermant l'objectif, de façon à modifier la taille de l'image et à la rendre plus nette. Un bouton, sur l'objectif, permettait une mise au point précise.

LA PHOTOGRAPHIE MODERNE

Après 1875, les papiers au gélatino-bromure d'argent apparaissent. Plus sensibles, ils permettent d'effectuer plusieurs tirages, facilement et rapidement, dans une chambre noire. En 1888, l'Américain George Eastman crée un petit appareil photographique avec une pellicule sur rouleau.

Levier d'armement pour faire avancer le film

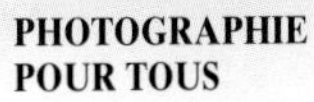

PHOTOGRAPHIE POUR TOUS
Au début du XXe siècle, Eastman fabriqua un petit appareil peu coûteux qui mit la photographie à la portée de tous. On devait faire avancer le film entre chaque prise de vue.

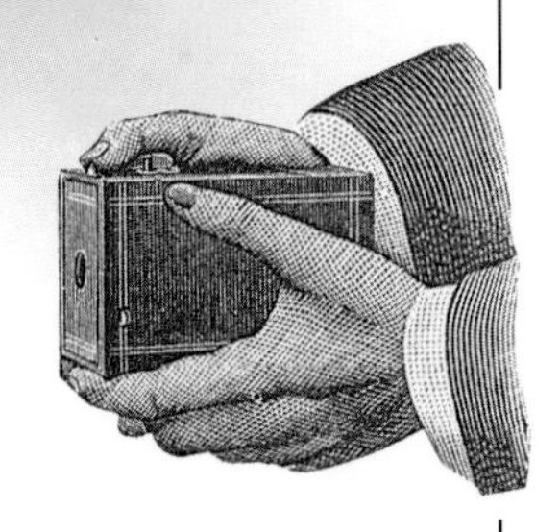

ROULEAUX DE PELLICULE
Celui de Eastman était un mince ruban de papier. On devait en décoller l'émulsion négative et l'appliquer sur des plaques de verre avant le développement. Mais en 1889, avec l'apparition du film en acétate de cellulose, l'émulsion recouvre un support transparent, évitant ainsi cette transposition.

APPAREIL DE POCHE
Vers 1920, les fabricants allemands d'instruments d'optique, dont Carl Zeiss, réduisirent la taille des appareils et leur donnèrent une grande précision. Ce modèle reflex Exakta à un seul objectif (SLR) est l'ancêtre de toute une génération d'appareils modernes.

Viseur

Levier d'armement

Objectif

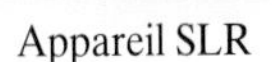

Appareil SLR

LA MÉDECINE ET SES INSTRUMENTS

De tout temps les hommes ont pratiqué certaines formes de médecine, notamment celle des plantes. On a même retrouvé, datant de l'époque préhistorique, des crânes percés d'un petit trou, sans doute à l'aide d'un trépan. Les Grecs pratiquaient la trépanation pour alléger la pression sur le cerveau après de graves blessures à la tête. L'acupuncture des Chinois consistait à planter des aiguilles dans une partie du corps pour en soulager une autre. En fait, des siècles durant, les instruments de chirurgie – scalpel, forceps, crochets, scie et outils divers destinés à l'amputation d'un membre ou à l'extraction d'une dent – n'ont guère varié. Quant aux premiers instruments de diagnostic, ils se sont répandus en Europe pendant la Renaissance, après les travaux d'anatomie de savants tels que Léonard de Vinci et le Flamand André Vésale. C'est au XIXe siècle que la médecine prit tout son essor, avec l'invention de nombreux instruments essentiels comme le stéthoscope ou la fraise du dentiste.

SERINGUES
Les premières furent utilisées aux Indes, en Chine et en Afrique du Nord. Aujourd'hui, elles comportent un canon, en verre ou en plastique, et une pompe. Le chirurgien français Charles Gabriel Pravaz pratiqua, en 1850, la première injection, à l'aide d'une seringue et d'une aiguille creuse.

Cet embout appliqué sur la bouche du patient est muni de valves pour inspirer et expirer.

CALMER LA DOULEUR
Avant la découverte des anesthésiques en 1846, on atténuait la douleur du patient qui devait subir une opération en lui faisant inhaler du protoxyde d'azote (gaz hilarant), de l'éther ou du chloroforme, sous un masque.

VOUS NE SENTIREZ RIEN !
Les dentistes utilisèrent des anesthésiques vers 1850 et des fraises à partir de 1860.

FRAISE MÉCANIQUE
L'«Erado», de Harrington, était une fraise munie d'un mécanisme d'horlogerie. Une fois le ressort remonté, elle fonctionnait pendant 2 minutes.

UN BON COUP DE DENT
Les premiers dentiers, partiels ou complets, furent fabriqués en France vers 1780. Celui-ci (au-dessus) date d'environ 1860.

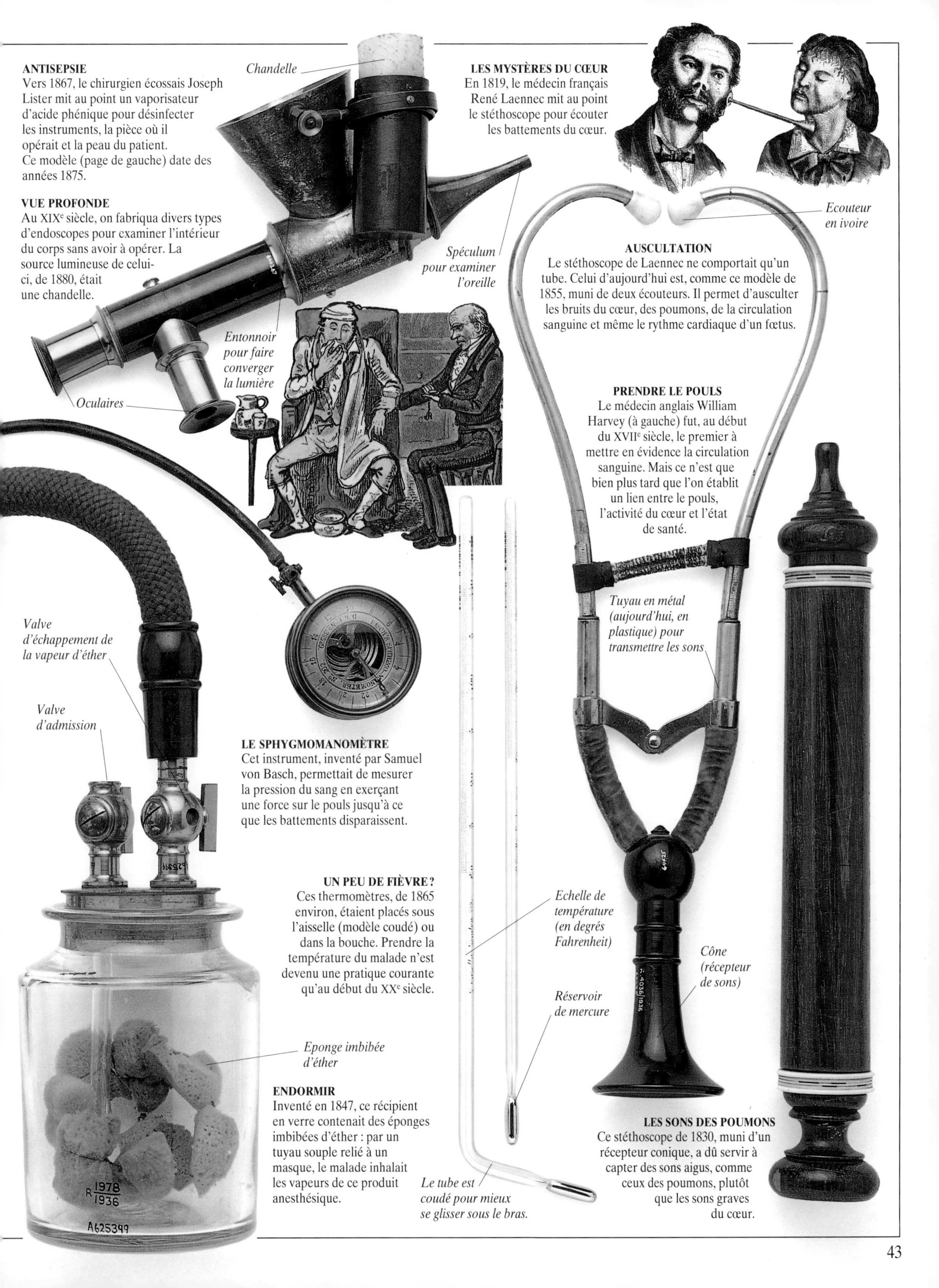

ANTISEPSIE
Vers 1867, le chirurgien écossais Joseph Lister mit au point un vaporisateur d'acide phénique pour désinfecter les instruments, la pièce où il opérait et la peau du patient. Ce modèle (page de gauche) date des années 1875.

VUE PROFONDE
Au XIXe siècle, on fabriqua divers types d'endoscopes pour examiner l'intérieur du corps sans avoir à opérer. La source lumineuse de celui-ci, de 1880, était une chandelle.

LES MYSTÈRES DU CŒUR
En 1819, le médecin français René Laennec mit au point le stéthoscope pour écouter les battements du cœur.

AUSCULTATION
Le stéthoscope de Laennec ne comportait qu'un tube. Celui d'aujourd'hui est, comme ce modèle de 1855, muni de deux écouteurs. Il permet d'ausculter les bruits du cœur, des poumons, de la circulation sanguine et même le rythme cardiaque d'un fœtus.

PRENDRE LE POULS
Le médecin anglais William Harvey (à gauche) fut, au début du XVIIe siècle, le premier à mettre en évidence la circulation sanguine. Mais ce n'est que bien plus tard que l'on établit un lien entre le pouls, l'activité du cœur et l'état de santé.

LE SPHYGMOMANOMÈTRE
Cet instrument, inventé par Samuel von Basch, permettait de mesurer la pression du sang en exerçant une force sur le pouls jusqu'à ce que les battements disparaissent.

UN PEU DE FIÈVRE ?
Ces thermomètres, de 1865 environ, étaient placés sous l'aisselle (modèle coudé) ou dans la bouche. Prendre la température du malade n'est devenu une pratique courante qu'au début du XXe siècle.

ENDORMIR
Inventé en 1847, ce récipient en verre contenait des éponges imbibées d'éther : par un tuyau souple relié à un masque, le malade inhalait les vapeurs de ce produit anesthésique.

LES SONS DES POUMONS
Ce stéthoscope de 1830, muni d'un récepteur conique, a dû servir à capter des sons aigus, comme ceux des poumons, plutôt que les sons graves du cœur.

LE TÉLÉPHONE : UNE « VOIX AU LOIN »

Les feux et les miroirs ont été pendant longtemps les seuls instruments permettant de correspondre sur des distances fort grandes dans des temps très courts. Ce fut l'ingénieur français Claude Chappe qui, en 1793, inventa le télégraphe aérien, appareil transmettant des messages par des signaux obtenus à l'aide de bras articulés établis sur des tours. Quelque quarante ans plus tard, le télégraphe électrique fit son apparition, et, en 1876, l'Américain Alexander G. Bell inventa le téléphone : ses recherches sur la surdité l'avaient amené à s'interroger sur la production des sons par vibrations dans l'air. Travaillant sur l'amélioration du télégraphe, il découvrit qu'un courant électrique continu pouvait être modifié pour reproduire les sons, donc la parole.

DISCOURS D'OUVERTURE
Alexander Graham Bell (1847-1922), qui enseignait aux sourds le langage par signes, et étudiait l'acoustique, inventa le téléphone. Ici, il inaugure la ligne New York-Chicago.

ALLÔ ALLÔ !
Ces deux hommes utilisent les premiers appareils «Edison» : celui de gauche est un appareil de facture moderne, l'autre est un dispositif en deux parties, l'une pour écouter, la seconde pour parler. Tous les appels devaient passer par un opérateur.

DE L'IMPORTANCE DES VIBRATIONS
Dans les premiers téléphones, comme celui de Bell qui date de 1876-1877, l'écouteur est combiné avec le microphone en forme de trompette. Ce dernier contenait une membrane dont les vibrations provoquées par la voix produisaient des variations de courant qui, en arrivant au récepteur, reproduisaient les sons.

Aimant

Ecouteur et microphone réunis

Bobine

Diaphragme métallique

ÉCOUTEUR
Celui-ci date de 1878 environ : un courant variable passant dans la bobine produit des sons en faisant vibrer un diaphragme métallique.

LE TÉLÉGRAPHE ÉLECTRIQUE

Ancêtre du téléphone, le télégraphe électrique permettait d'envoyer des signaux par câble. Au début, seules les lignes de chemin de fer en étaient équipées. Plus tard, les grandes villes furent reliées les unes aux autres.

DIVERS SYSTÈMES
Le télégraphe de Morse (à gauche) transmettait des messages à l'aide de points et de traits combinés pour former un alphabet. Celui de Cooke et de Wheatstone (à droite) utilise des aiguilles aimantées.

NE RACCROCHEZ PAS !
En 1877, Thomas Edison (1847-1931) mit au point plusieurs sortes de microphones et d'écouteurs. Ce modèle, une fois suspendu à son support, coupait la communication.

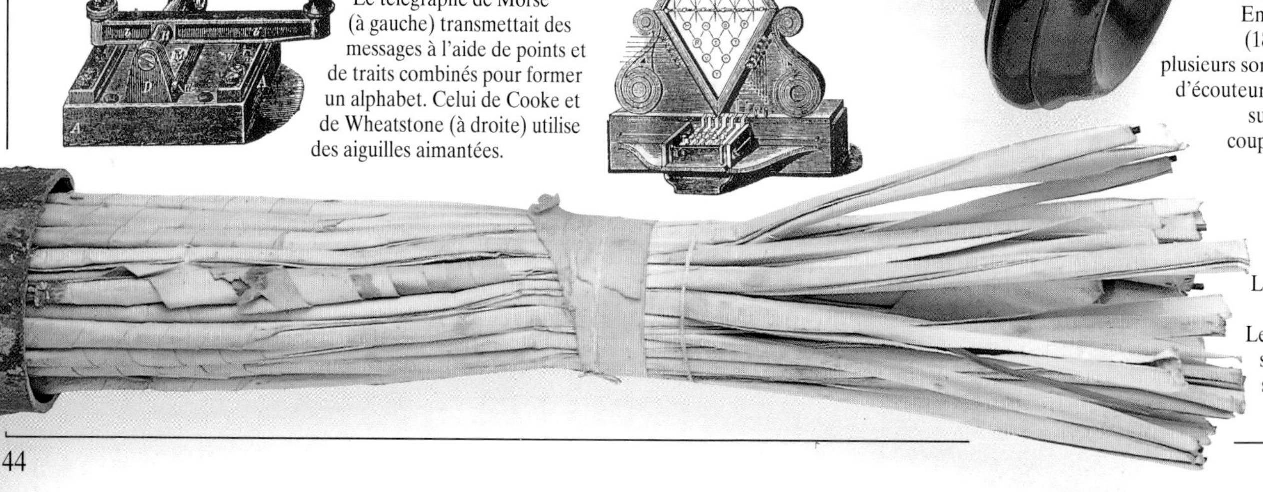

CÂBLES TÉLÉPHONIQUES
Les premiers étaient en cuivre gainé de verre. Les fils métalliques, très solides, étaient utilisés surtout pour les lignes sur pylônes.

C'EST FACILE
Ce téléphone mural de 1879 fut inventé par Thomas Edison. Il est conçu avec microphone et récepteur. Il fallait tourner la manivelle tout en écoutant. La sonnerie annonçait un appel ou bien signalait que la liaison demandée était établie.

RÉPÉTEZ CE NUMÉRO
Les premières communications étaient établies manuellement. Une opératrice du central téléphonique relevait votre numéro et celui que vous demandiez, puis elle enfonçait une fiche dans votre ligne pour établir le circuit électrique nécessaire.

COMBINÉS
Vers 1885, émetteur et récepteur furent réunis en un seul instrument. Ce type de combiné fut d'abord en métal, puis, à partir de 1929, en plastique.

EN DIRECT
Certains téléphones-chandeliers des années 1920 et 1930 avaient un cadran qui permettait d'appeler automatiquement le numéro des correspondants.

APPEL LOINTAIN
Les téléphones à fourche interruptrice étaient très répandus vers 1890. Celui-ci date de 1937, époque à laquelle une liaison transatlantique fut établie entre New York et Londres.

LA REPRODUCTION DU SON : MAGIE ET FÊTE

Le principe du phonographe, destiné à enregistrer et à reproduire des sons, est décrit en 1877 par le Français Charles Cros et mis au point la même année par Thomas Edison. Les vibrations sonores provoquées par le mot « allô » qu'il prononça dans un microphone furent enregistrées sous forme de sillons sur une feuille de papier d'étain qui recouvrait un cylindre tournant sur lui-même. Lorsqu'une pointe de lecture, reliée à un diaphragme, repassa dans le sillon, le mot fut reproduit. Ce procédé d'enregistrement mécanique fut utilisé jusqu'à ce qu'apparaissent, vers 1920, des systèmes électriques. Puis l'enregistrement magnétique se développa, d'abord en 1935 avec l'invention de rubans magnétiques en plastique, et en 1960 avec la microélectronique (p. 62).

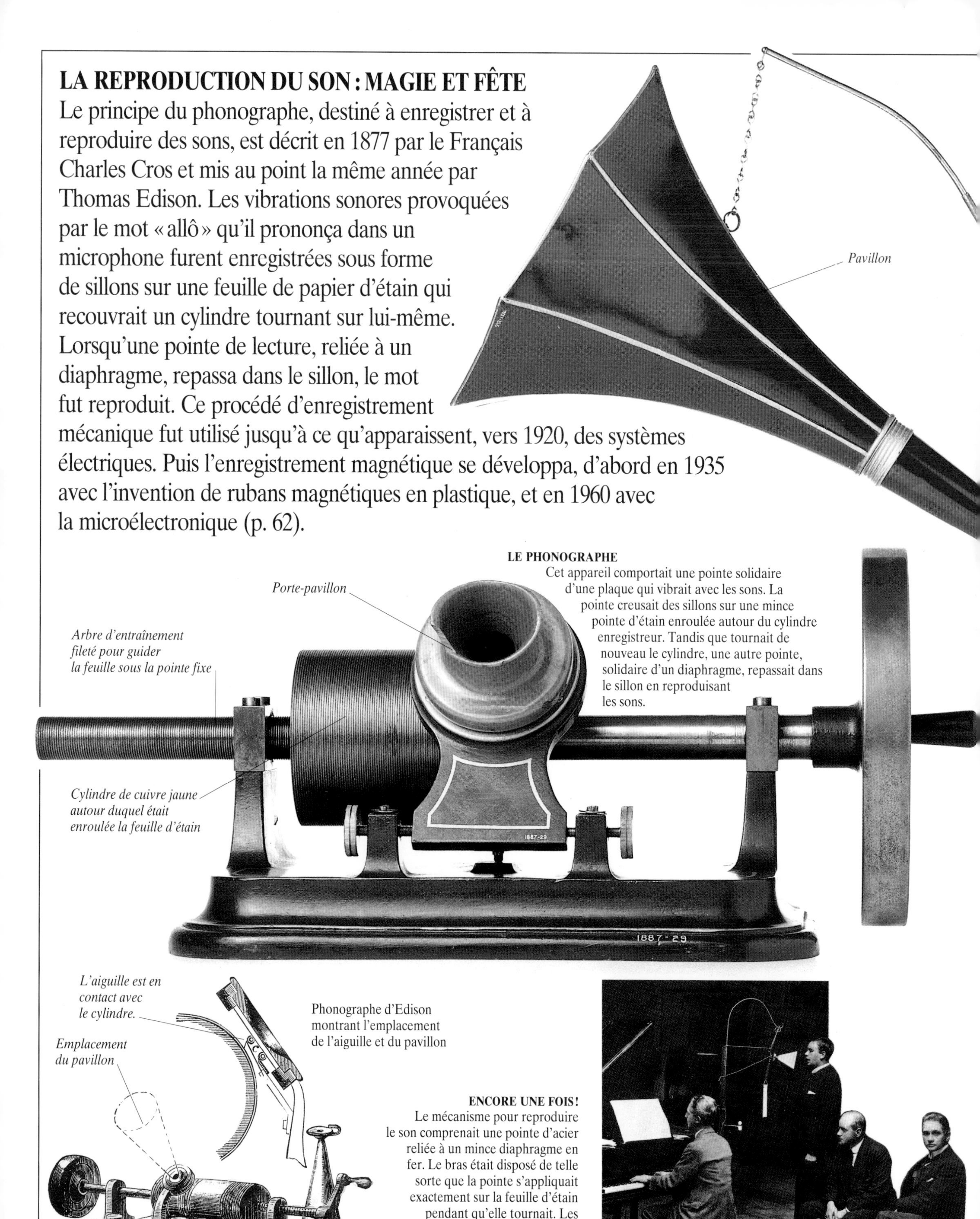

LE PHONOGRAPHE
Cet appareil comportait une pointe solidaire d'une plaque qui vibrait avec les sons. La pointe creusait des sillons sur une mince pointe d'étain enroulée autour du cylindre enregistreur. Tandis que tournait de nouveau le cylindre, une autre pointe, solidaire d'un diaphragme, repassait dans le sillon en reproduisant les sons.

Phonographe d'Edison montrant l'emplacement de l'aiguille et du pavillon

ENCORE UNE FOIS !
Le mécanisme pour reproduire le son comprenait une pointe d'acier reliée à un mince diaphragme en fer. Le bras était disposé de telle sorte que la pointe s'appliquait exactement sur la feuille d'étain pendant qu'elle tournait. Les vibrations dues aux sillons creusés dans l'étain se transmettaient au diaphragme, en créant des ondes sonores.

Cylindre et son étui

Disque 78 tours

CYLINDRE PERFECTIONNÉ
Sur le cylindre en cire de Bell, l'aiguille en saphir creusait un sillon continu dont la profondeur variait avec l'intensité du son enregistré. Ces cylindres, plus récents, avaient une durée de fonctionnement d'au moins 4 minutes.

Aiguilles

MOINS ÉPHÉMÈRE
Les enregistrements sur feuille d'étain d'Edison ne duraient qu'une minute et s'usaient très vite sous l'aiguille d'acier. Vers 1880, les Américains Chichester Bell, cousin de l'inventeur du téléphone, et Charles Tainter utilisèrent une aiguille en saphir et mirent au point un cylindre recouvert de cire. Ce modèle créé par Edison date de 1905.

À PLAT
En 1888, l'Allemand Emile Berliner inventa un mécanisme qui préfigura les appareils modernes. Un disque plat remplaçait le cylindre, et la gravure du sillon variait non plus en profondeur mais latéralement.

DISQUE GRAVÉ
Au début, Berliner utilisait un disque en verre enduit de laque durcie comme «négatif», à partir duquel il réalisait le disque «positif» en zinc. En 1895, il mit au point un procédé encore utilisé il y a peu : le positif en laque était pressé à partir d'un négatif en nickel comme ce disque 78 tours.

Le pavillon achemine les sons produits par le diaphragme.

Aiguille d'acier

Plateau portant le disque

LA BANDE MAGNÉTIQUE

En 1898, le Danois Valdemar Poulsen inventa le premier enregistreur magnétique qui fonctionnait à l'aide d'une corde de piano en acier. Vers 1930, deux sociétés allemandes, Telefunken et I. G. Farben, mirent au point un ruban de plastique enduit d'oxyde de fer magnétique, qui remplaça bientôt fils et rubans d'acier.

SUR UN FIL
Le télégraphone, inventé par Poulsen en 1903, fonctionnait électriquement et retransmettait les messages, dictés ou téléphonés, sur un long fil de fer souple.

SUR UN RUBAN
Ce magnétophone de 1950 a une tête d'effacement, une tête d'enregistrement et une tête de lecture.

SE DÉPLACER SANS EFFORT GRÂCE AU MOTEUR

Tout comme l'invention de la roue, le moteur à combustion interne entraîna une révolution dans les transports. On disposait enfin d'un engin petit et efficace, encore appelé « à explosion ». L'énergie de ce moteur est produite par la combustion d'un mélange gazeux à l'intérieur d'un cylindre. La détente des gaz brûlés pousse le piston vers le bas du cylindre et le mouvement du piston entraîne celui de l'arbre moteur. Le premier moteur à combustion interne opérationnel fut construit en 1860 par le Français Étienne Lenoir, d'origine wallonne, et fonctionnait au gaz. En 1862, le Français Beau de Rochas préconisa un cylindre à quatre temps avec compression préalable, et c'est l'ingénieur allemand Nikolaus Otto qui réalisa le premier moteur à quatre temps en 1876. Par la suite, il fut encore amélioré par les Allemands Gottlieb Daimler et Karl Benz qui construisirent la première vraie voiture en 1886.

LA PREMIÈRE AUTOMOBILE
Daimler et Benz modifièrent le moteur d'Otto afin qu'il pût fonctionner à l'essence que l'on trouvait plus facilement que le gaz. Il produisait une énergie suffisante pour faire avancer un véhicule chargé de passagers.

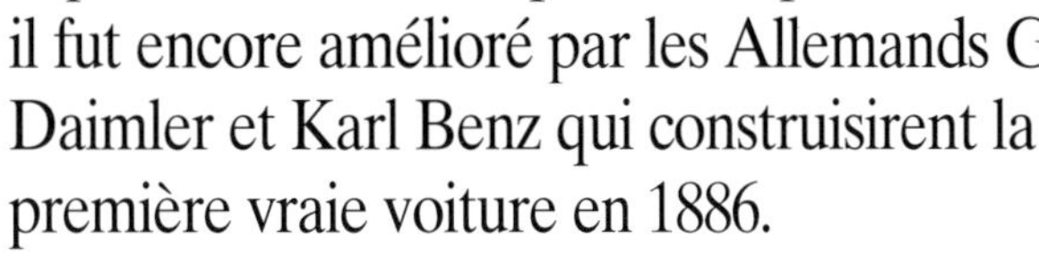

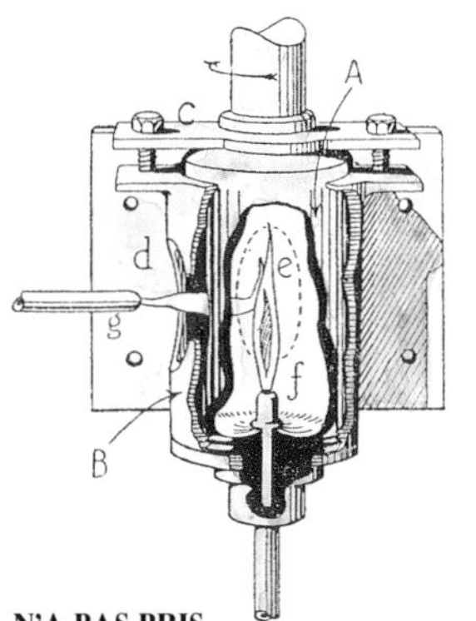

N'A PAS PRIS LE DÉPART
Dans ce projet de 1838, voué à l'échec, la combustion s'effectuait à l'intérieur d'un cylindre qui tournait tandis que des soupapes laissaient s'échapper les gaz brûlés.

ENTRE DEUX
Ce système, qui date de 1890 environ, est à mi-chemin entre la machine à vapeur et le moteur à essence. Il comporte, sur le flanc du cylindre, une soupape par où s'échappaient les gaz brûlés repoussés par le piston.

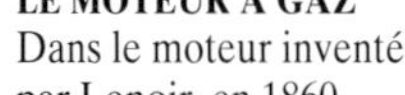

LE MOTEUR À GAZ
Dans le moteur inventé par Lenoir, en 1860, le mouvement du piston aspirait à l'intérieur du cylindre un mélange d'air et de gaz de houille qu'enflammait une étincelle électrique; il en résultait une explosion qui repoussait le piston au bout du cylindre.

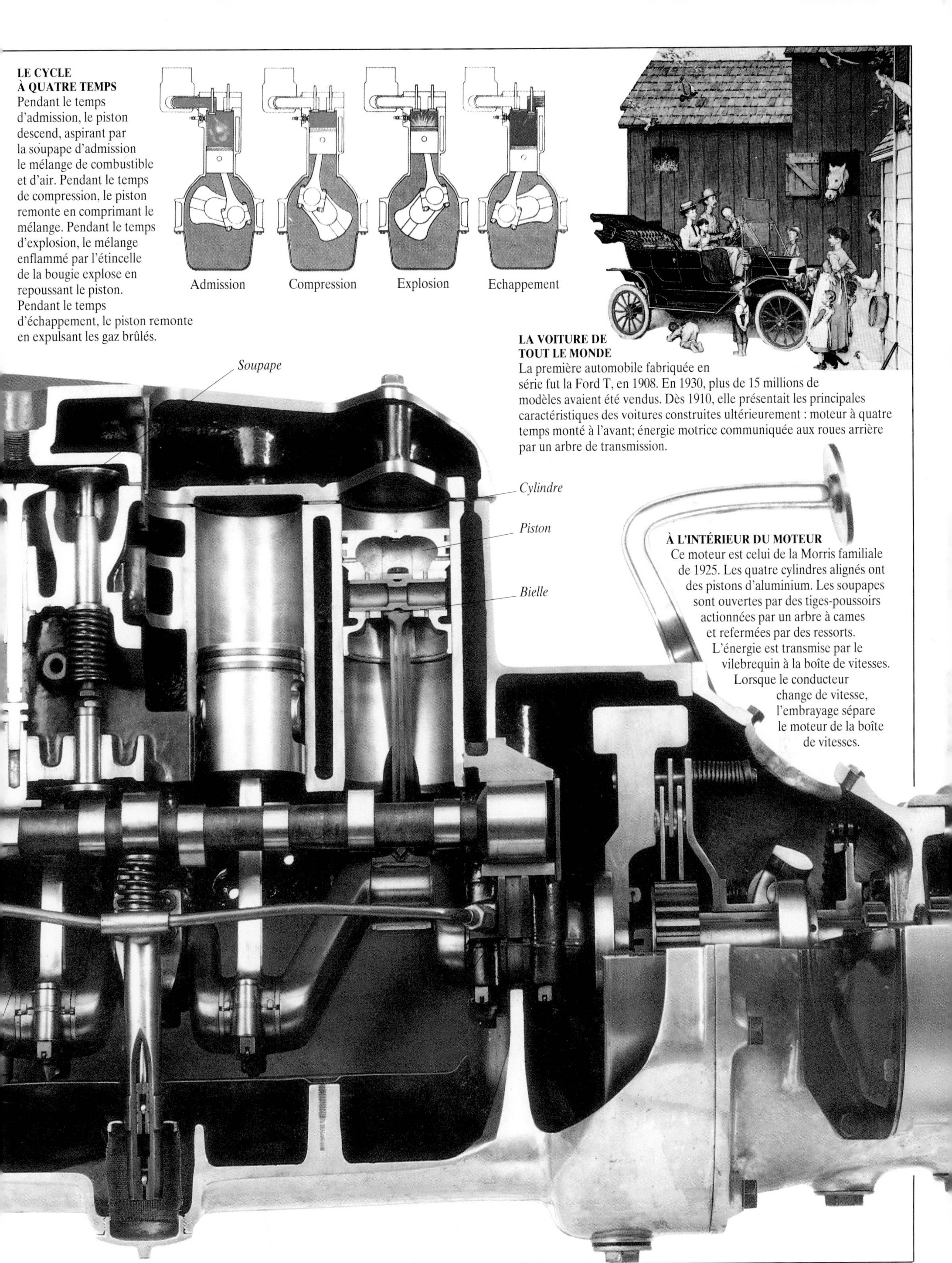

LE CYCLE À QUATRE TEMPS
Pendant le temps d'admission, le piston descend, aspirant par la soupape d'admission le mélange de combustible et d'air. Pendant le temps de compression, le piston remonte en comprimant le mélange. Pendant le temps d'explosion, le mélange enflammé par l'étincelle de la bougie explose en repoussant le piston. Pendant le temps d'échappement, le piston remonte en expulsant les gaz brûlés.

LA VOITURE DE TOUT LE MONDE
La première automobile fabriquée en série fut la Ford T, en 1908. En 1930, plus de 15 millions de modèles avaient été vendus. Dès 1910, elle présentait les principales caractéristiques des voitures construites ultérieurement : moteur à quatre temps monté à l'avant; énergie motrice communiquée aux roues arrière par un arbre de transmission.

À L'INTÉRIEUR DU MOTEUR
Ce moteur est celui de la Morris familiale de 1925. Les quatre cylindres alignés ont des pistons d'aluminium. Les soupapes sont ouvertes par des tiges-poussoirs actionnées par un arbre à cames et refermées par des ressorts. L'énergie est transmise par le vilebrequin à la boîte de vitesses. Lorsque le conducteur change de vitesse, l'embrayage sépare le moteur de la boîte de vitesses.

LE CINÉMA, OU LA BELLE ILLUSION

En regardant défiler rapidement une séquence d'images presque identiques, les yeux ne voient en fait qu'un seul objet mais en mouvement. Ce phénomène, appelé « persistance rétinienne » et connu depuis le XVIIe siècle, fut l'objet de nombreuses recherches après 1825, et, en dix ans, quantité d'appareils très divers furent inventés pour recréer cette illusion. Beaucoup d'entre eux ne dépassèrent pas le stade du jouet, mais, associés au système d'éclairage mis au point pour la lanterne magique et au développement de la photographie, ils contribuèrent tous à l'avènement du cinéma. Auguste et Louis Lumière réalisèrent un appareil, le cinématographe, dans lequel caméra et projecteur étaient combinés et qui enregistrait les images sur une bande de celluloïd. Les deux frères organisèrent la première projection publique d'images animées, à Paris, le 28 décembre 1895.

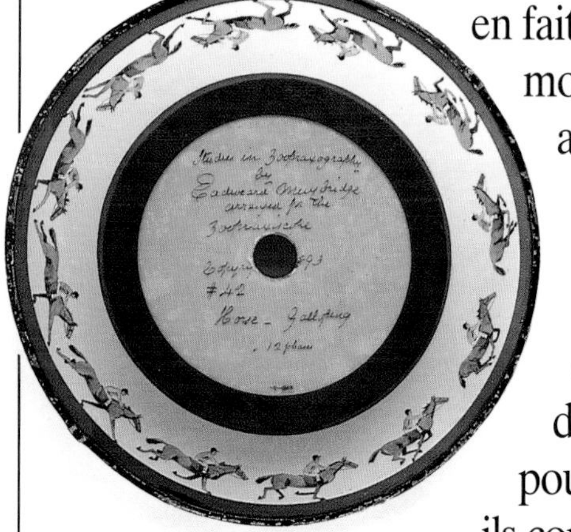

CAVALCADE
A la fin des années 1870, l'Américain Eadweard Muybridge conçut le zoopraxiscope qui projetait des images en mouvement sur un écran. L'illusion était créée par la rotation d'un disque en verre, sur lequel était peinte une séquence de photographies.

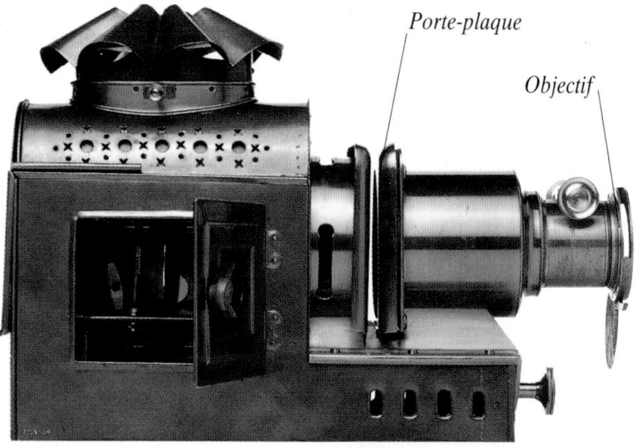

LANTERNE MAGIQUE
A l'aide d'une lentille et d'une source lumineuse, des images sur plaques transparentes étaient projetées sur un écran. Au début, on utilisa une chandelle, puis, plus tard, une source de lumière oxhydrique ou des arcs de carbone pour augmenter l'éclairage.

VIVE LE CINÉMA !
L'appareil des frères Lumière fut utilisé pour les premières projections régulières de films en Europe. En 1895, ils ouvrirent un cinéma dans le sous-sol d'une brasserie, à Paris.

LES FRÈRES LUMIÈRE
Ils furent les premiers à faire des projections d'images photographiques en mouvement. Leur appareil fonctionnait comme la lanterne magique, mais projetait des images à partir d'une bande de film continue.

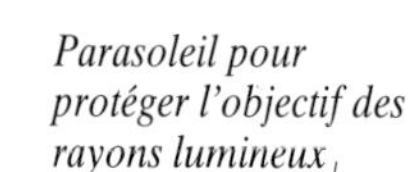

Parasoleil pour protéger l'objectif des rayons lumineux

Les débuts de la prise de vues

LA PASSION DU MOUVEMENT
Peu après 1880, Muybridge réalisa par milliers des séquences photographiques de personnages ou d'animaux en mouvement. Il disposait côte à côte 12 appareils, ou plus, dont le déclenchement électro-magnétique s'effectuait à des intervalles de centièmes de seconde tandis que le sujet se déplaçait devant eux.

Boîtier en bois, opaque, pour la pellicule

UN CHEMIN LONG ET TORTUEUX
Le film se déroule à une vitesse de 16 à 24 images par seconde, ce qui, pour un spectacle de quelques minutes, nécessite des mètres et des mètres de pellicule. Cette caméra anglaise de 1909 avait deux chargeurs, chacun pouvant contenir 110 mètres; le film passait de l'un à l'autre en franchissant la fenêtre de projection.

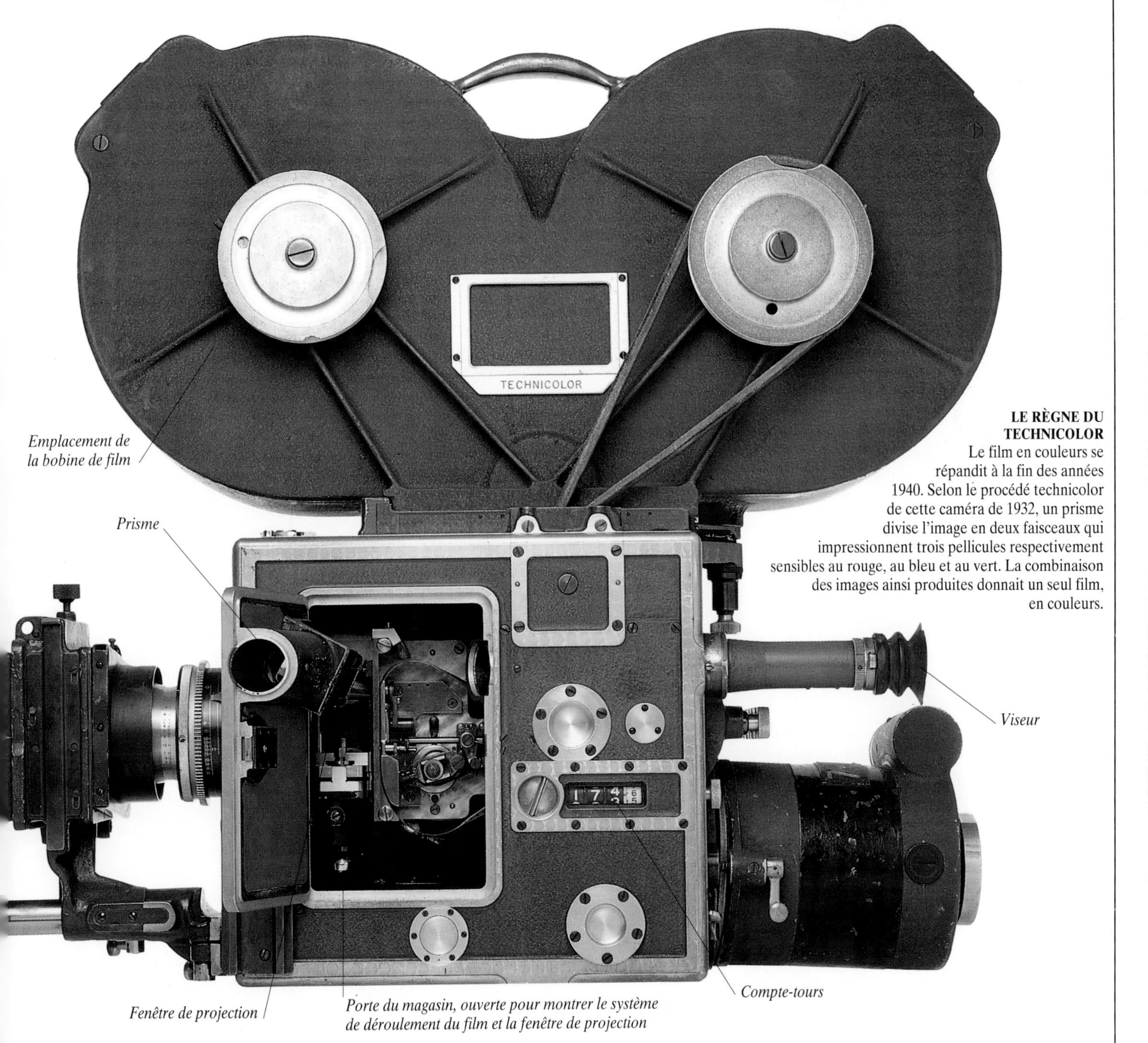

Emplacement de la bobine de film

Prisme

Viseur

Fenêtre de projection

Porte du magasin, ouverte pour montrer le système de déroulement du film et la fenêtre de projection

Compte-tours

LE RÈGNE DU TECHNICOLOR
Le film en couleurs se répandit à la fin des années 1940. Selon le procédé technicolor de cette caméra de 1932, un prisme divise l'image en deux faisceaux qui impressionnent trois pellicules respectivement sensibles au rouge, au bleu et au vert. La combinaison des images ainsi produites donnait un seul film, en couleurs.

LA RADIO EFFACE LES DISTANCES

C'est dans le grenier de ses parents que l'Italien Guglielmo Marconi eut l'idée d'utiliser les ondes électromagnétiques pour envoyer des messages par voie aérienne et mit au point la première radio. En permettant la communication sans fil sur de longues distances et en ouvrant l'ère de la radiodiffusion, son invention devait changer le monde. Il utilisa le générateur à étincelle électrique du physicien allemand Heinrich Hertz comme émetteur d'ondes électromagnétiques : celles-ci étaient détectées par le « cohéreur », ou radioconducteur, dû au Français Edouard Branly, et transformées en courant électrique. En 1894, Marconi déclenchait à distance, par radio, une sonnette électrique, et, huit ans plus tard, il envoyait des messages à plus de 3 000 kilomètres à travers l'Atlantique.

ÉTINCELLE
En 1888, Heinrich Hertz, physicien allemand, observa qu'une étincelle qui jaillissait entre deux boules métalliques provoquait un courant dans un circuit voisin. Hertz étudiait alors les ondes électromagnétiques, qui comprennent, entre autres, la lumière visible, les rayons X des ondes radio, les infrarouges et les ultraviolets.

LA DIODE
Les premiers postes de radio étaient peu sensibles. En 1904, l'Anglais John A. Fleming inventa un détecteur d'ondes radio plus puissant, la diode (dispositif de deux électrodes), ou lampe thermoïonique (du grec *thermos*, chaud, et *ion*, particule chargée d'électricité). Elle convertissait le courant alternatif en courant continu et devint essentielle à l'émission et à la transmission radio.

LA TRIODE
Dans les lampes thermoïoniques, comme cette triode de 1908, une troisième électrode, la grille, entre le filament et l'électrode positive, permet d'amplifier les messages téléphoniques et les signaux des microphones. Ces derniers, ainsi amplifiés, se combinent avec des ondes porteuses et sont transmis sur de grandes distances.

CRISTAUX DE CONTACT
Vers 1920, les auditeurs captaient les premières émissions de radio à l'aide de récepteurs faits de cristaux de galène ou de silicium et d'un contacteur à ressort. Les signaux radiophoniques étant faibles, on utilisait des écouteurs munis de haut-parleurs qui transmettaient les émissions en convertissant les variations du courant électrique en ondes sonores.

PAR VOIE AÉRIENNE
La radio de Marconi fut le premier appareil de télégraphie sans fil, ou TSF, grâce auquel les communications pouvaient franchir, sans interruption, continents et océans.

LOURD ET ENCOMBRANT
Les lampes et autres composants de la radio exigeaient un courant continu. Or, jusqu'en 1940, bien des régions dans le monde n'étaient pas électrifiées. Les postes de radio fonctionnaient donc grâce à de puissantes batteries. Ils étaient lourds et encombrants, comme ce modèle qui nécessitait l'emploi d'un haut-parleur séparé.

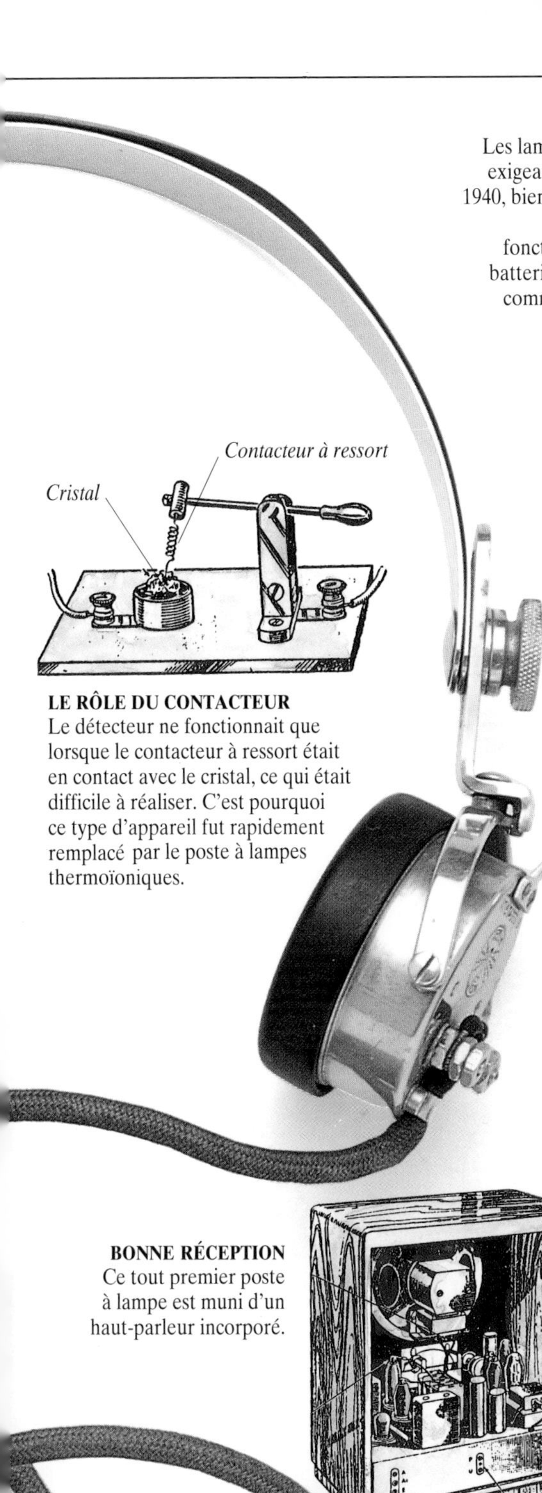

LE RÔLE DU CONTACTEUR
Le détecteur ne fonctionnait que lorsque le contacteur à ressort était en contact avec le cristal, ce qui était difficile à réaliser. C'est pourquoi ce type d'appareil fut rapidement remplacé par le poste à lampes thermoïoniques.

BONNE RÉCEPTION
Ce tout premier poste à lampe est muni d'un haut-parleur incorporé.

Fiche de branchement

DES MOTS AUX IMAGES
Les triodes de ce type permirent à Marconi, en 1924, de diffuser des émissions depuis l'Angleterre jusqu'en Australie. Elles contribuèrent aussi à la mise au point des télévisions, des caméras, des émetteurs et des récepteurs de télévision.

LE POSTE DE RADIO
Dès la fin des années 1920, de nombreux émetteurs avaient été construits et les postes de radio avaient pénétré largement dans les foyers d'Europe et des Etats-Unis.

FASCINATION
Sur ce détail d'un tableau de W. R. Scott, peint en 1922, des personnes sont rassemblées autour d'un poste de radio au cours d'une réception de Noël. A cette époque, la radio était encore une attraction.

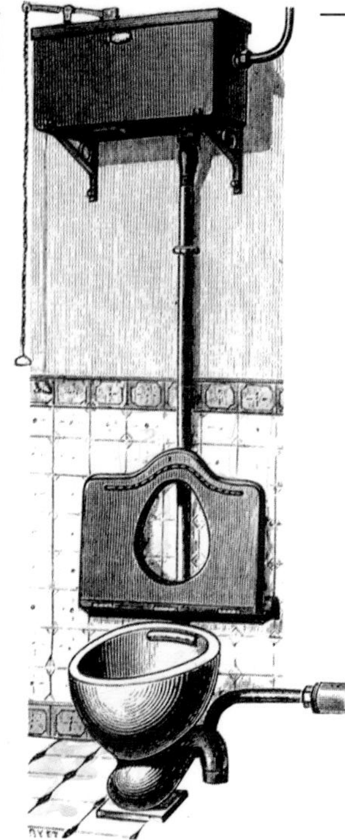

CABINET D'AISANCE
Le premier projet de toilettes à chasse d'eau date de 1596. Mais l'usage ne s'en répandit que lorsque les grandes villes furent équipées d'un réseau d'égouts. Celui de Londres, par exemple, ne fut terminé qu'en 1860. Depuis, divers modèles améliorés de toilettes ont été brevetés.

LE «TOUT ÉLECTRIQUE» CHEZ SOI

Le physicien anglais Michael Faraday (1791-1867) produisit, dès 1831, du courant électrique par induction, mais les applications domestiques de l'électricité ne furent pas immédiates. Dans un premier temps, seuls des usines et des ateliers furent équipés de générateurs destinés à l'éclairage. Puis, en 1879, apparut la lampe à filament, et, en 1882, la ville de New York fut dotée de la première centrale électrique. Peu à peu, on commença à envisager de remplacer certains appareils mécaniques d'usage quotidien, comme l'aspirateur, par leur équivalent électrique plus efficace. Ce processus s'accéléra lorsque l'on prit conscience que l'électricité pouvait faciliter tous les travaux ménagers. C'est ainsi que les bouilloires, les cuisinières et les radiateurs électriques, qui fonctionnent grâce à la chaleur produite par une résistance, se répandirent de foyer en foyer, suivis, dès 1920, par les sèche-cheveux et les batteurs électriques.

GARDER AU FRAIS
L'apparition des premiers réfrigérateurs électriques, en 1920, fut une révolution domestique.

LE THÉ EST PRÊT
Dans cette théière automatique, le thé se prépare beaucoup plus rapidement grâce à un dispositif de leviers et de ressorts. Une sonnerie retentit quand le thé est prêt.

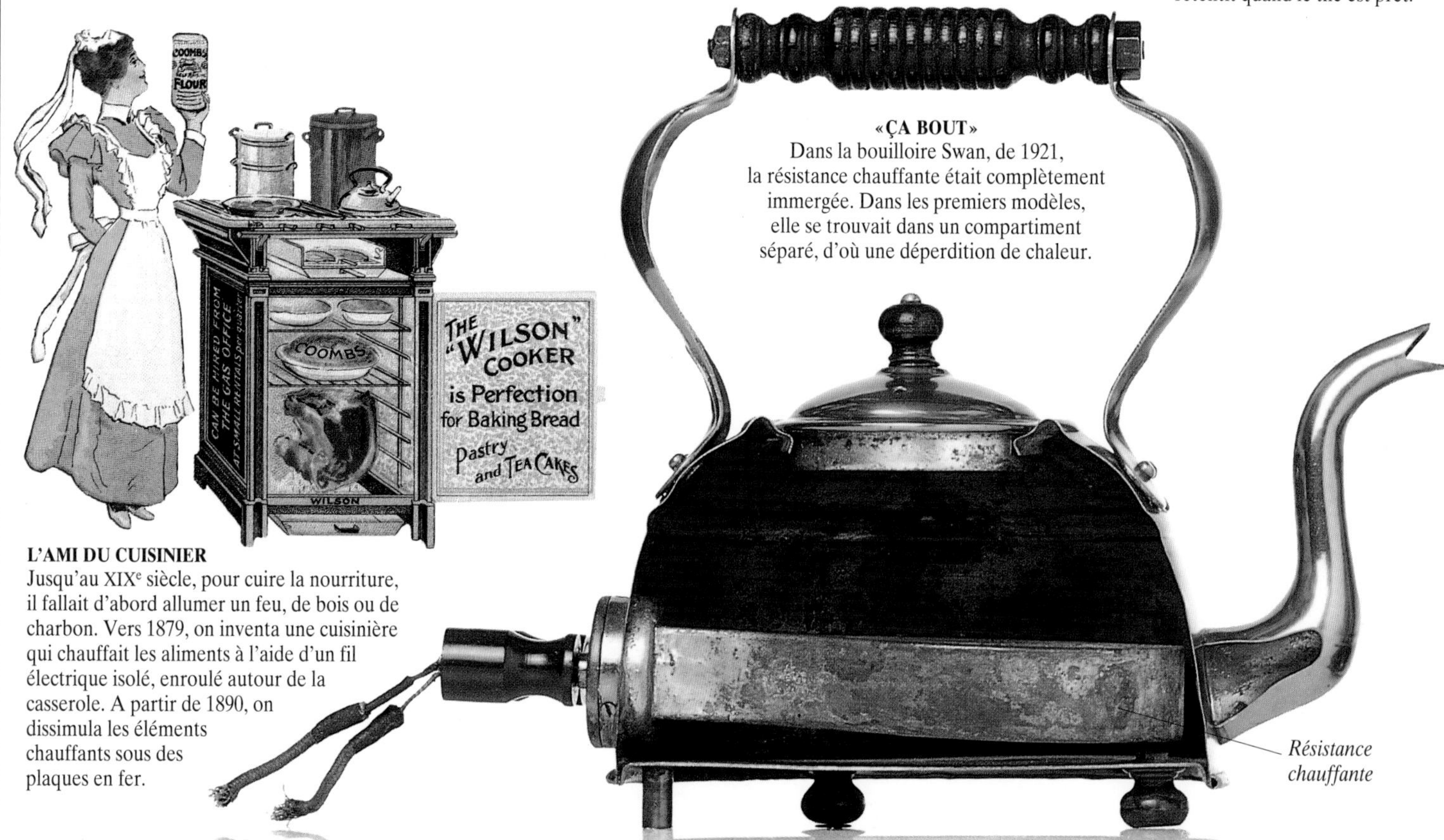

«ÇA BOUT»
Dans la bouilloire Swan, de 1921, la résistance chauffante était complètement immergée. Dans les premiers modèles, elle se trouvait dans un compartiment séparé, d'où une déperdition de chaleur.

Résistance chauffante

L'AMI DU CUISINIER
Jusqu'au XIXe siècle, pour cuire la nourriture, il fallait d'abord allumer un feu, de bois ou de charbon. Vers 1879, on inventa une cuisinière qui chauffait les aliments à l'aide d'un fil électrique isolé, enroulé autour de la casserole. A partir de 1890, on dissimula les éléments chauffants sous des plaques en fer.

BIEN COIFFÉ
Un petit radiateur et un ventilateur composent ce sèche-cheveux de 1925. Le corps est en aluminium, le manche en bois; deux températures sont possibles grâce à un bouton de réglage.

FACILE
Ce batteur à deux lames, de 1918, fonctionne grâce à un moteur électrique. Une articulation lui permet de tourner aussi horizontalement.

SE CHAUFFER
Les premiers radiateurs électriques fonctionnaient à l'aide d'une ampoule Dowsing. Celle-ci, de grande taille, avait un côté émaillé, l'autre faisant face à un réflecteur où se concentrait la chaleur.

FER ÉLECTRIQUE
Le premier, chauffé par un arc électrique qui jaillissait entre deux charbons, était dangereux. Le fer qui fut breveté en 1882 comportait une résistance chauffante, tout comme les plaques d'une cuisinière, et put être commercialisé.

FERS DE BLANCHISSEUSE
Du XVIIIe siècle au début du XXe siècle, on repassait avec deux fers : pendant que l'un était «au feu» sur des braises ou sur un fourneau, on se servait de l'autre.

LA COCOTTE-MINUTE
C'est Denis Papin (p. 32) qui inventa en 1681 cette «marmite» : munie d'une soupape de sûreté, elle cuisait très rapidement les aliments grâce à la vapeur accumulée sous pression.

ASPIRATEUR À SOUFFLET
Il fallait deux personnes pour faire fonctionner cet aspirateur mécanique du début du XXe siècle. Actionné par le manche en bois, le soufflet aspirait la poussière. En 1908, l'Américain William Hoover commença à fabriquer des aspirateurs électriques.

PAS DE TÉLÉVISION SANS TUBE CATHODIQUE

En 1887, le physicien anglais William Crookes, qui étudiait les propriétés de l'électricité, fit passer un courant électrique dans un tube en verre, muni de deux électrodes et dans lequel l'air avait été aspiré. Il constata alors que l'électricité circulait entre les électrodes, créant un effet lumineux dans le tube. Lorsque le vide fut presque atteint, la lumière s'éteignit mais le verre resta luminescent. Le phénomène était dû à un faisceau invisible d'électrons que Crookes appela rayons cathodiques. Dix ans plus tard, l'Allemand Ferdinand Braun mit au point un tube dont le fond était enduit d'une substance qui s'éclairait quand ces rayons la frappaient. Cet oscillographe cathodique est l'ancêtre du tube des postes de télévision.

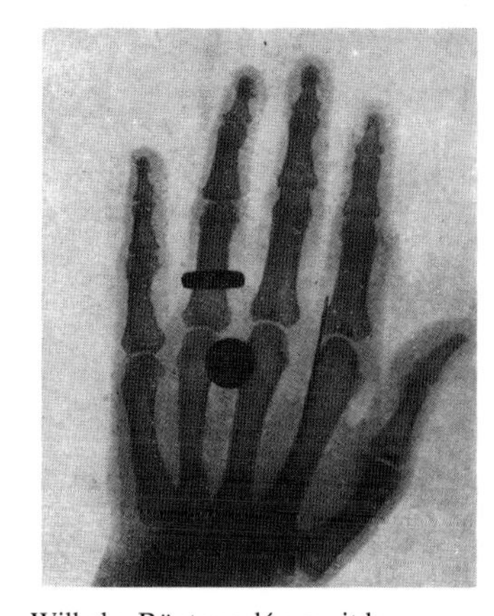

Wilhelm Röntgen découvrit les rayons X dans un tube semblable à celui qu'utilisa Crookes, en 1895.

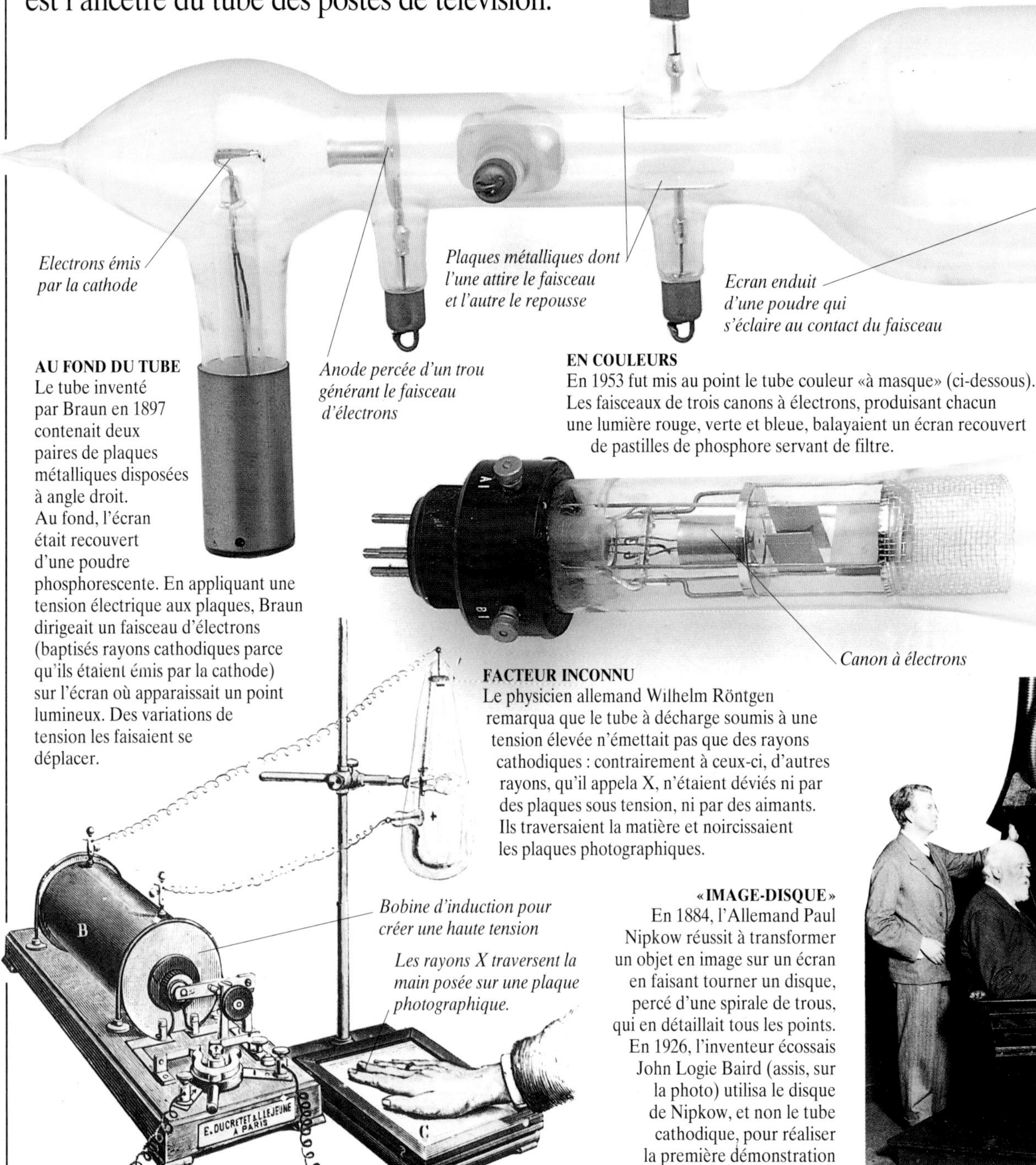

AU FOND DU TUBE
Le tube inventé par Braun en 1897 contenait deux paires de plaques métalliques disposées à angle droit. Au fond, l'écran était recouvert d'une poudre phosphorescente. En appliquant une tension électrique aux plaques, Braun dirigeait un faisceau d'électrons (baptisés rayons cathodiques parce qu'ils étaient émis par la cathode) sur l'écran où apparaissait un point lumineux. Des variations de tension les faisaient se déplacer.

EN COULEURS
En 1953 fut mis au point le tube couleur «à masque» (ci-dessous). Les faisceaux de trois canons à électrons, produisant chacun une lumière rouge, verte et bleue, balayaient un écran recouvert de pastilles de phosphore servant de filtre.

FACTEUR INCONNU
Le physicien allemand Wilhelm Röntgen remarqua que le tube à décharge soumis à une tension élevée n'émettait pas que des rayons cathodiques : contrairement à ceux-ci, d'autres rayons, qu'il appela X, n'étaient déviés ni par des plaques sous tension, ni par des aimants. Ils traversaient la matière et noircissaient les plaques photographiques.

«IMAGE-DISQUE»
En 1884, l'Allemand Paul Nipkow réussit à transformer un objet en image sur un écran en faisant tourner un disque, percé d'une spirale de trous, qui en détaillait tous les points. En 1926, l'inventeur écossais John Logie Baird (assis, sur la photo) utilisa le disque de Nipkow, et non le tube cathodique, pour réaliser la première démonstration de télévision du monde.

MOINS CHER
A la fin des années 1960, la firme japonaise Sony fit breveter le système Trinitron dans lequel le tube cathodique couleur était différent de celui de la firme américaine RCA. Cette dernière ne pouvait donc plus exiger de droits sur chaque tube fabriqué.

PREMIÈRES ÉMISSIONS
En 1936, la BBC mit en service la première chaîne publique de télévision à partir de son studio de l'Alexandra Palace, à Londres. Au début, on utilisa tantôt le procédé Baird, tantôt le tube cathodique qui, de meilleure qualité, finit par l'emporter. En 1939, la RCA lança aux Etats-Unis la première télévision entièrement électronique.

TROP RAPIDE POUR ÊTRE VU
Jusqu'aux années 1960, la plupart des récepteurs étaient des appareils à lampes (p. 52) et ne donnaient que des images en noir et blanc. Le «tube» ne comportait qu'un canon à électrons dont le faisceau balayait l'écran plus de 50 fois par seconde. Des améliorations techniques permirent de raccourcir le tube.

CHERCHEZ L'ÉCRAN
L'écran des premiers récepteurs, tel ce modèle Victor de la RCA, était petit, mais l'ensemble des autres composants nécessitait une caisse volumineuse. En outre, ils coûtaient en général aussi cher qu'une petite voiture.

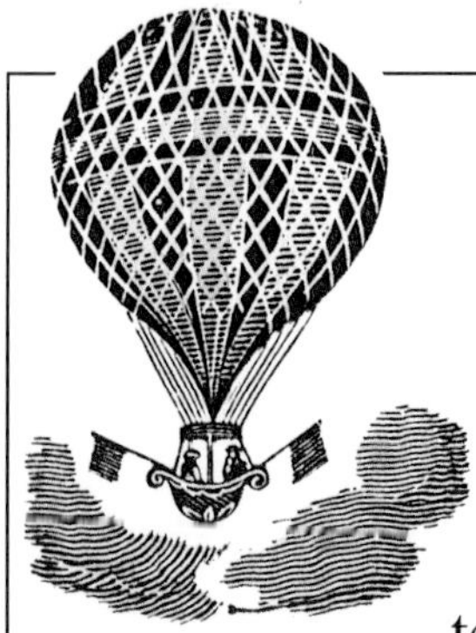

À LA CONQUÊTE DU CIEL

Premier engin à s'élever dans les airs, le ballon à air chaud inventé par les frères Montgolfier emporta avec lui en septembre 1783 ses premiers voyageurs : un coq, un canard et un mouton. Encouragés par le succès de leur entreprise – les trois cobayes étant revenus sur terre sains et saufs –, les deux frères poursuivirent leurs expériences et, deux mois plus tard, permirent au marquis d'Arlandes et à Pilâtre de Rozier de survoler Paris pendant 25 minutes. Les Anglais William Henson et John Stringfellow fabriquèrent en 1848 une machine volante à vapeur. Restée à l'état de maquette, elle présentait déjà bon nombre de caractéristiques de l'aéroplane futur. En 1890, le Français Clément Ader réalisa, sur 50 mètres, le premier vol d'un avion propulsé par un moteur à vapeur. Quant au premier vol dirigé, il fut effectué en 1903 par les Américains Wilbur et Orville Wright à bord du «Flyer», propulsé par un moteur à essence léger.

CARROSSE DE L'AIR
Plusieurs caractéristiques du modèle réduit de la machine volante de Henson et Stringfellow furent reprises plus tard par les ingénieurs de l'aéronautique. La voilure était inclinée vers le haut et la queue comportait des gouvernes de direction et d'altitude. L'allure était étrange mais la conception étonnamment pratique.

Aile en toile à monture en bois

UN PIONNIER DU VOL
Le premier planeur avec pilote fut celui de l'ingénieur allemand Otto Lilienthal qui effectua de nombreux vols, entre 1891 et 1896, date à laquelle il se tua en s'écrasant au sol. On lui doit les bases de la technique du pilotage.

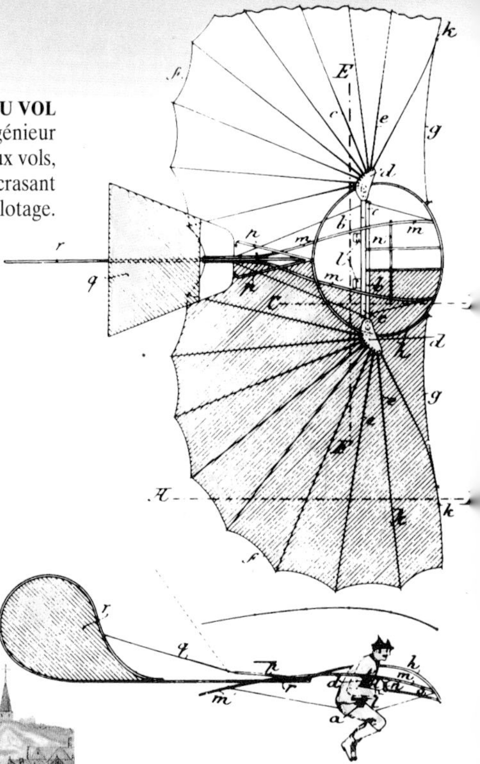

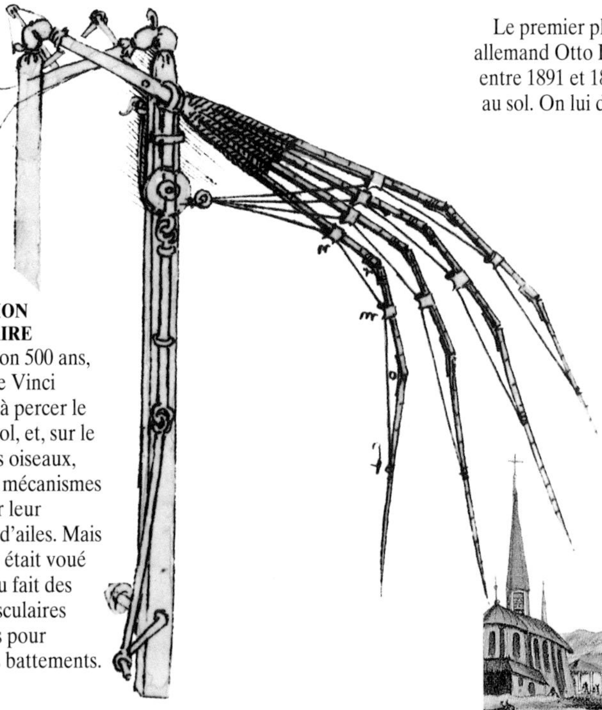

PROPULSION MUSCULAIRE
Il y a environ 500 ans, Léonard de Vinci s'appliqua à percer le secret du vol, et, sur le modèle des oiseaux, conçut des mécanismes pour imiter leur battement d'ailes. Mais ce procédé était voué à l'échec du fait des efforts musculaires nécessaires pour obtenir ces battements.

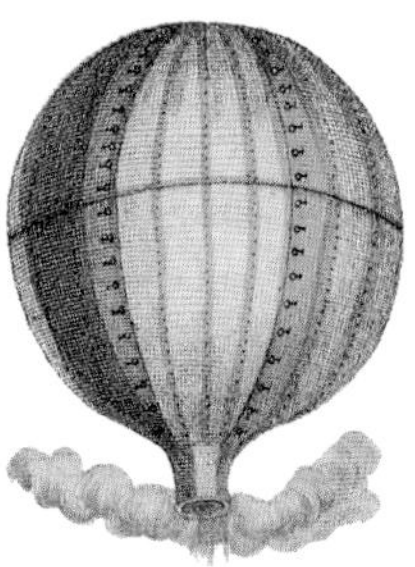

PREMIÈRE MONTGOLFIÈRE
Le 4 juin 1783, Joseph et Etienne Montgolfier lâchèrent en public un ballon en papier propulsé à l'air chaud, qui s'éleva à plus de 1 500 m d'altitude. Quelques mois après, l'aérostat emporta des animaux, puis des hommes, les premiers aéronautes.

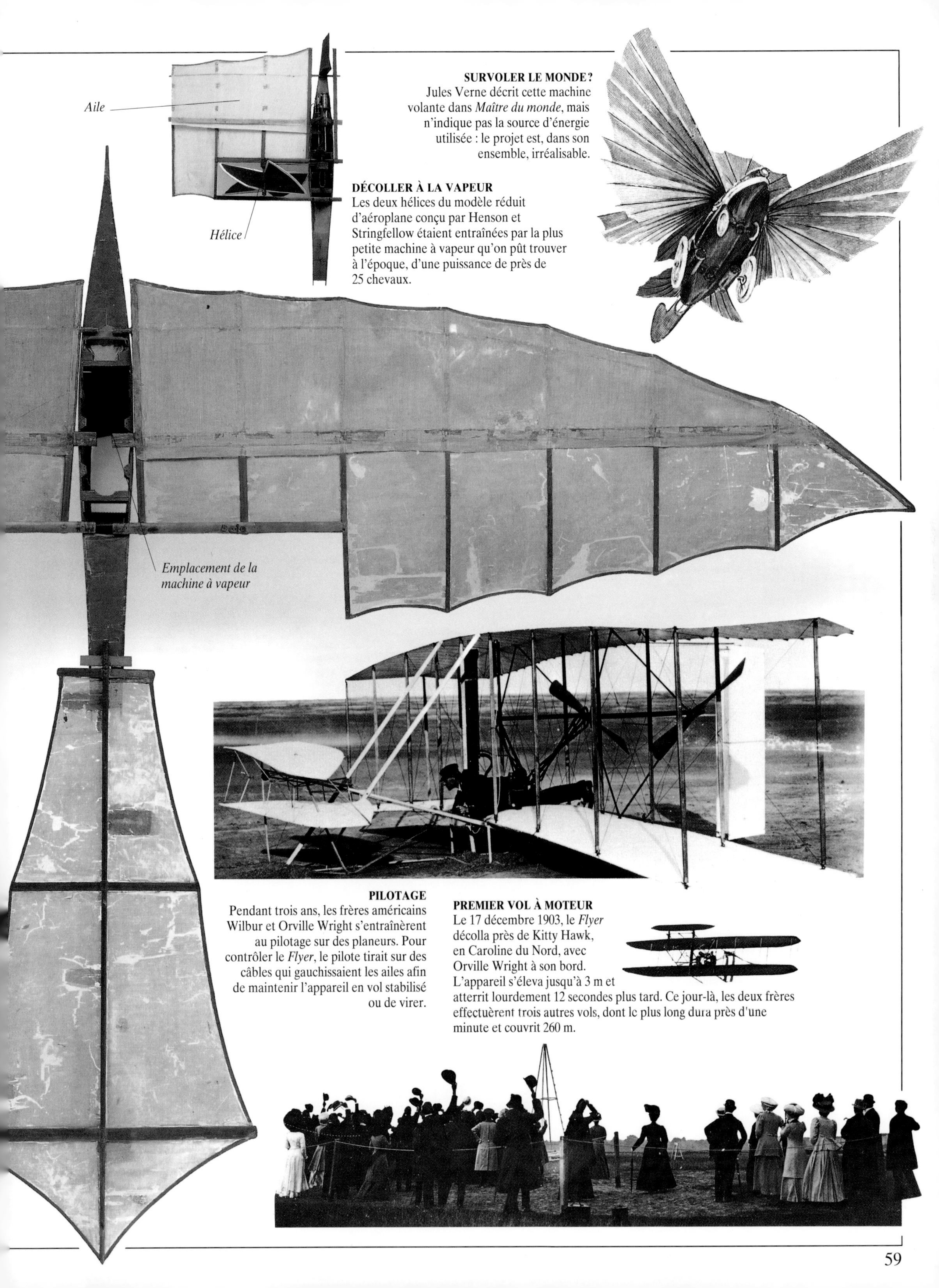

SURVOLER LE MONDE ?
Jules Verne décrit cette machine volante dans *Maître du monde*, mais n'indique pas la source d'énergie utilisée : le projet est, dans son ensemble, irréalisable.

DÉCOLLER À LA VAPEUR
Les deux hélices du modèle réduit d'aéroplane conçu par Henson et Stringfellow étaient entraînées par la plus petite machine à vapeur qu'on pût trouver à l'époque, d'une puissance de près de 25 chevaux.

PILOTAGE
Pendant trois ans, les frères américains Wilbur et Orville Wright s'entraînèrent au pilotage sur des planeurs. Pour contrôler le *Flyer*, le pilote tirait sur des câbles qui gauchissaient les ailes afin de maintenir l'appareil en vol stabilisé ou de virer.

PREMIER VOL À MOTEUR
Le 17 décembre 1903, le *Flyer* décolla près de Kitty Hawk, en Caroline du Nord, avec Orville Wright à son bord. L'appareil s'éleva jusqu'à 3 m et atterrit lourdement 12 secondes plus tard. Ce jour-là, les deux frères effectuèrent trois autres vols, dont le plus long dura près d'une minute et couvrit 260 m.

PLASTIQUES ET SYNTHÉTIQUES EN SÉRIE

Très malléable, la matière plastique fut d'abord utilisée pour imiter d'autres matériaux. Mais, très vite, grâce au procédé de polymérisation qui permet de regrouper les petites molécules en chaînes de longues molécules, on put mettre en évidence les propriétés spécifiques de ce matériau. On fabriqua d'abord la parkésine, à partir de molécules de cellulose que l'on trouve dans presque tous les végétaux, et, en 1909, fut inventé le premier plastique vraiment synthétique, la bakélite. Dix à vingt ans plus tard, les chimistes obtinrent des matières synthétiques à partir de substances contenues dans le pétrole. Leurs travaux aboutirent à une gamme de produits aux propriétés très diverses : calorifiques, électriques, optiques et plastiques. Parmi ceux-ci, le polyéthylène, le nylon et l'acrylique sont encore employés de nos jours.

IMITATION IVOIRE
A l'aspect et au toucher, les premières matières plastiques ressemblaient souvent à de l'ivoire. On en faisait des peignes ou des manches de couteaux.

Moulure

PLASTIQUE ?
En 1862, Alexander Parkes obtint une matière dure que l'on pouvait mouler. La parkésine fut la première matière semi-synthétique.

Surface dure et lisse

INFLAMMABLE
Peu après 1860 apparut le celluloïd, qu'on n'utilisa guère, au début, que pour remplacer l'ivoire dans la fabrication des boules de billard et de petits objets comme ce poudrier. Puis, en 1889, George Eastman s'en servit comme support de pellicule photographique. Malheureusement, cette matière s'enflammait facilement et, parfois, explosait.

Poudrier en celluloïd

SOUS TOUTES LES FORMES
Les matières plastiques des années 1920 et 1930 étaient solides, non toxiques et colorées à l'aide de pigments synthétiques. On en faisait aussi bien des boîtes, des réveils, des abat-jour que des touches de piano.

RÉSISTANTE À LA CHALEUR
Le chimiste Léo Baekeland fabriqua un matériau à partir de produits chimiques contenus dans le goudron de charbon : la bakélite. Cette matière ne pouvait être ramollie qu'une fois, sous l'action de la chaleur, puis redevenait définitivement dure.

Thermos en bakélite

Imitation marbre

CORDE EN NYLON
Fin mais très résistant, le fil de nylon est idéal pour la fabrication des cordes.

MOUSSE OU SOLIDE
Le polystyrène fut inventé dans les années 1930. Il peut se présenter sous une forme solide ou en une mousse percée de petits trous qu'on appelle le polystyrène expansé.

VRAIMENT PARTOUT
Le plastique peut adopter des formes compliquées, comme ce filet aux mailles très fines.

FIBRES SYNTHÉTIQUES
Le nylon fut inventé en 1934 par le chimiste américain Wallace Carothers et ressemblait à de la soie artificielle. Etiré en fil, il pouvait être tissé ou tressé en corde aussi résistante qu'un câble d'acier. En 1941, furent mises au point d'autres fibres synthétiques, dont le polyester qui entre dans la fabrication de certains vêtements.

LES « PUCES », OU LA RÉVOLUTION INFORMATIQUE

Les premiers postes de radio et de télévision fonctionnaient avec des lampes (p. 52) de grande taille, d'un prix élevé et qui duraient peu. En 1947, des physiciens des laboratoires Bell, aux États-Unis, inventèrent le transistor, plus petit, plus fiable et meilleur marché. Le développement des engins spatiaux exigea que l'on réduise encore l'encombrement, et, vers la fin des années 1960, on en était arrivé à entasser des milliers de transistors et autres composants électroniques sur des « puces » de silicium de 5 millimètres carrés. Ces composants électroniques envahirent bientôt de nombreux domaines, remplaçant les commandes mécaniques de toutes sortes d'appareils, de la machine à laver à la caméra. Ils se substituèrent également aux volumineux circuits électroniques des premiers ordinateurs qui occupaient une pièce à eux seuls : les micro-ordinateurs tiennent désormais sur un bureau. Cette « révolution informatique » a transformé notre vie quotidienne, tant familiale que professionnelle.

L'ANCÊTRE
La «machine analytique» de l'Anglais Charles Babbage, qui permettait certains calculs, fut l'ancêtre de l'ordinateur. De minuscules composants effectuent aujourd'hui le même travail que cet encombrant mécanisme.

Ce disque de silicium contient plusieurs centaines de puces minuscules.

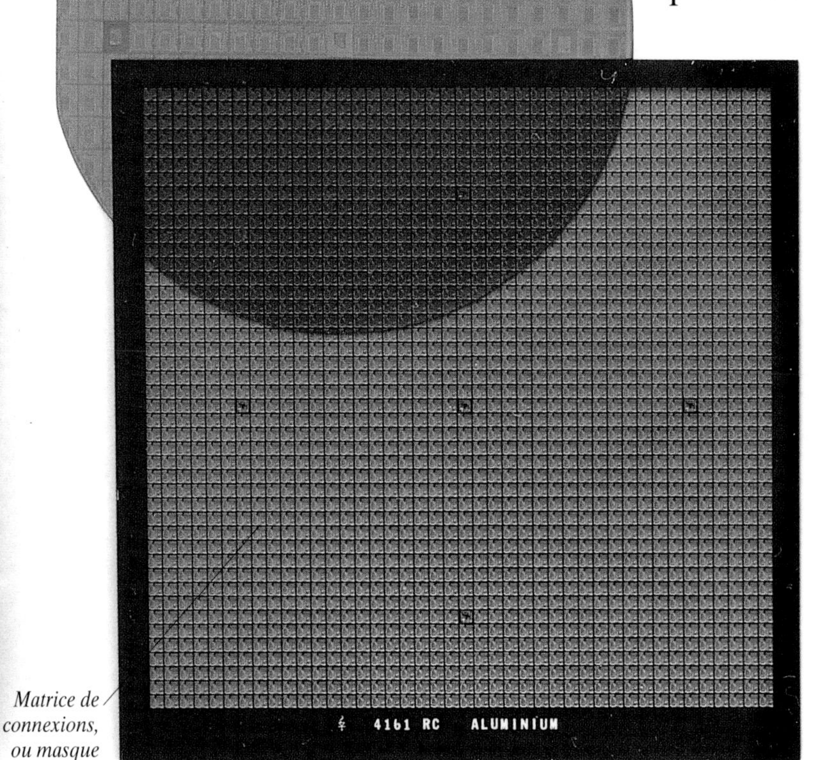

Matrice de connexions, ou masque

CRISTAL DE SILICIUM
Le silicium se trouve combiné avec l'oxygène : c'est le silice, dont une forme est le quartz. Pur, il se présente sous forme de cristal gris foncé, dur et non métallique.

FABRICATION D'UNE PUCE
Composants électriques et connexions sont superposés sur des disques de silicium pur de 0,5 mm d'épaisseur. On commence par incorporer, dans des zones déterminées du silicium, des impuretés chimiques qui en altèrent les propriétés électriques. Puis, par-dessus, on établit les connexions en aluminium (équivalents des fils conventionnels).

Puce de silicium

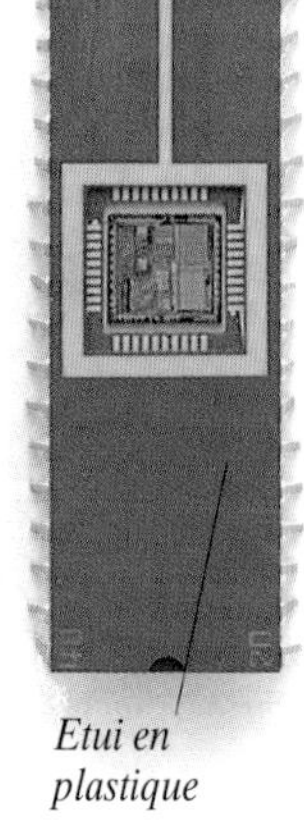

Etui en plastique

LES GRAND-MÈRES
Au début des années 1970, on mit au point plusieurs sortes de puces ayant chacune un rôle spécifique tel que mémoire ou processeur. Les puces, de quelques millimètres carrés, étaient assemblées sur une armature de connexions et de broches en cuivre doré ou étamé. Sur le pourtour de chaque puce, des fils d'or très fins reliaient les supports des connecteurs à l'armature. L'ensemble était logé dans un étui de plastique isolant.

Connecteur d'un circuit imprimé

SOLIDEMENT FIXÉS
Les connexions en cuivre d'un circuit imprimé s'appuient sur un support isolant. Les composants, ainsi que les puces de silicium, y sont chevillés ou soudés, dans des trous.

DANS L'ESPACE
L'ordinateur est un organe esssentiel des engins spatiaux. C'est grâce aux microprocesseurs que les instruments de contrôle peuvent trouver place dans l'espace exigu du bord.

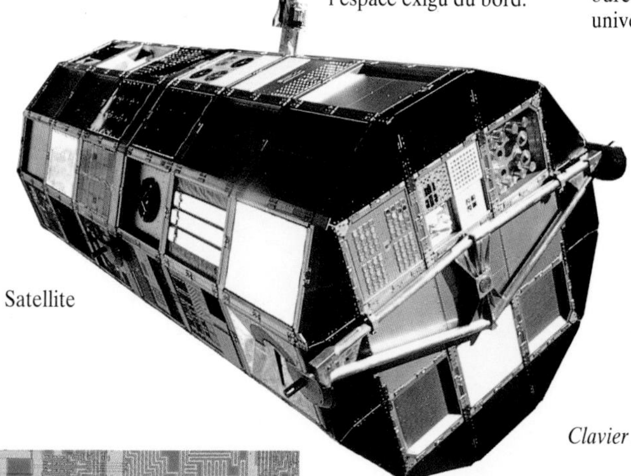

Satellite

UN CERVEAU SUR SA TABLE
La fin des années 1970 vit le boom des ordinateurs. Aux Etats-Unis, la société Commodore lança le PET, un des premiers micro-ordinateurs de série. Il fut surtout utilisé dans les bureaux et dans les universités.

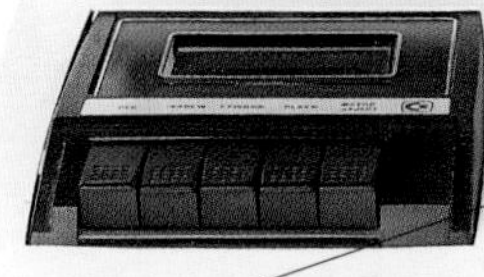

Ecran de visualisation

Clavier

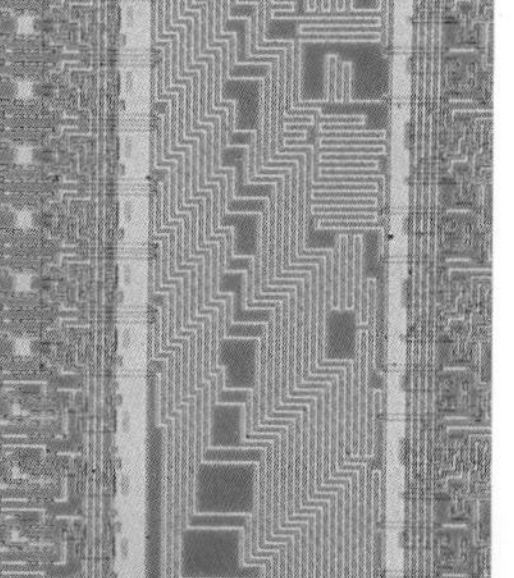

EN BONNE VOIE
Observé au microscope, le transistor révèle un réseau de voies en aluminium et des «îles» de silicium traitées de façon à conduire l'électricité.

CONNEXIONS
Ce plan grossi montre comment les fils sont reliés au silicium. Les composants sont si petits que seul un robot peut les placer avec toute la précision requise.

SERVICE RAPIDE
Ce genre de carte contient de nombreuses données et effectue des opérations grâce à son microprocesseur. Certaines cartes gèrent des comptes bancaires. Celle-ci permet d'utiliser le téléphone public.

Puce de silicium

INDEX

NOTES

Dorling Kindersley tient à remercier toute l'équipe du Science Museum, Londres : Marcus Austin, Peter Bailes, Brian Bowers, Roger Bridgman, Neil Brown, Jane Bywaters, Sue Cackett, Janet Carding, Ann Carter, Jon Darius, Eryl Davies, Sam Evans, Peter Fitzgerald, Jane Insley, Stephen Johnston, Ghislaine Lawrence, Peter Mann, Mick Marr, Kate Morris, Susan Mossman, Cathy Needham, Andrew Nahum, Francesca Riccini, Derek Robinson, Peter Stephens, Frazer Swift, Peter Tomlinson, John Underwood, Denys Vaughan, Tony Vincent, John Ward, Anthony Wilson, David Woodcock, Michael Wright. Remerciements à Roy Flooks et à Jane Parker.

ICONOGRAPHIE

(h = haut, b = bas, m = milieu, g = gauche, d = droite)

Bridgeman Art Library : 11, 18bm, 19bg; /Russian Museum, Leningrad 21 md, 22hd; /Giraudon/Musée des Beaux Arts, Vincennes 30bg, 50md.
E.T. Archive : 26hd
Mary Evans Picture Library : 10m, 12mg, 12hd, 14, 19md, 19bd, 20hd, 21md, 23hd, 24hd, 25hd, 28bd, 30bd, 31md, 36bg, 39m, 40hg, 40md, 41hm, 42bg, 42mg, 43hd, 43m, 45hd, 50bd, 53md, 54hg, 54bg, 55mg
Vivien Fifield : 32m, 48mg, 48m, 48bg
Michael Holford : 16mg, 18,gm, 18bg
Hulton-Deutsch : 41hd
National Motor Museum Beaulieu : 49hd
Ann Ronan Picture Library : 17hg, 29bd, 29bm, 35bd, 38hg, 38md, 44hg, 44hd, 45hg, 56bd
Syndication International : 12hg, 13m, 23hg, 26md, 28hg, 28md, 34hg, 35hg, 36hd, 46bd, 50bd, 52b, 52hd, 56hd, 58bm, 59bd; /Bayerische Staatsbibliotek, Munich 24cg; /City of Bristol Museum and Art Gallery 53bd; /British Museum 13hm, 24bg, 59hd; /Library of Congress 37hg; /Smithsonian Institution, Washington DC 58bd

Tous les objets photographiés de cet ouvrage proviennent des collections du Science Museum à Londres, à l'exception de ceux de la liste ci-dessus et de ceux des pages 8-9 et 61.